# ルワンダの祈り

## 内戦を生きのびた家族の物語

後藤健二 著

汐文社

# ルワンダの祈り

もくじ

この本を、故 澄田智さんと故 洪不二夫さんに捧げますルワンダ。
アフリカ中部にある、この国で起こった悲劇《ひげき》を、
あなたは知っているでしょうか。
八十万人以上の人が命を奪《うば》われた、
恐《おそ》ろしい死の三か月間の歴史が、この国にはあるのです。

地中海
ウガンダ
ケニア
ルワンダ
コンゴ
タンザニア
大西洋

# 1 「外国人は殺せ！」

わたしは、ケニアのナイロビからルワンダのキガリに向かう飛行機に乗っていました。窓《まど》から、地上の風景がゆっくり流れていくのを眺《なが》めながら、初めてルワンダを訪《おとず》れた時のことを思い出していました。

わたしが初めてルワンダを訪れたのは、一九九六年の春でした。

その頃《ころ》、ルワンダと隣国《りんこく》コンゴ民主共和国（旧《きゅう》ザイール）の国境地帯《こっきょうちたい》では、コンゴ政府《せいふ》の軍隊と政府に反対する勢力《せいりょく》が、戦闘《せんとう》をくり返していました。たくさんの村が襲《おそ》われました。住民たちは、ものを奪《うば》われ、家を焼かれ、殺されました。なんとか生きのびた人々は、森の中に逃《に》げて生活していました。

ある日、わたしとカメラマン、通訳《つうやく》とドライバーは、戦闘《せんとう》が行なわれている最前線の町を取材していました。戦闘が行なわれているのは、この町から七、八キロメートル先の森林地帯でした。

雨空で、時おりはげしく雨がたたきつけるような空模様《そらもよう》でした。私は雨が止んだのを見はからって、レポートの準備《じゅんび》をしました。

マイクを持って、カメラに向かってしゃべり始めた瞬間《しゅんかん》、「パーン」という銃声《じゅうせい》に思わず身をかがめました。

(なに?!)

すぐ近くだ、ということしかわかりませんでした。

カメラマンの後ろに、十二、三人の少年たちのグループが迫《せま》って来ていました。先頭は、迷彩服《めいさいふく》を着てベレー帽《ぼう》をななめにかぶり、ライフル銃を構《かま》えた十三歳《さい》くらいの少年。何か怒鳴《どな》っています。

わたしとカメラマンと通訳は、あっという間に銃を手にした子どもたちのグループに囲まれました。銃で小突《こづ》かれ、道路わきのほったて小屋に歩いて行かされました。（いかん、つかまった）と思いましたが、どうすることもできません。

小屋の中に入ろうという時、フロントガラスのなくなったピックアップトラックが走ってきて、二十歳くらいの体のがっしりとした兵士が勢《いきお》いよく降《お》りてきました。銃声を聞いてやってきたのです。彼《かれ》の身なりや視線《しせん》からは、軍隊の訓練をキチンと受けている様子がうかがえました。

ルワンダとコンゴの国境地帯《こっきょうちたい》にあるたくさんの貧《まず》しい村では、大人から子どもまで政府《せいふ》に反対して戦っていました。

どうやら、彼は子ども兵士たちの上官のようでした。わたしたちの方を時どき見ながら、子どもたちになにやら説明をしています。

すると、とつぜんリーダー格《かく》の赤いベレー帽をななめにかぶった十三歳ほどの少年が、彼に食ってかかり、口論《こうろん》になりました。

わたしは後ろにいるカメラマンに、人差し指で円を描《か》きました。カメラをまわしておくようにという「サイン」です。そして、背中越《せなかご》しに通訳《つうやく》に何を話しているのか？と小さな声でたずねました。

「こいつらは、兵士じゃないから逃《に》がせと言い聞かせているが、あの少年は、『外国人は見たら殺せと言われた』と言ってきかない。」

口論《こうろん》は止むどころか、激《はげ》しさを増《ま》していきます。少年がわたしに銃《じゅう》を構《かま》えると、大人の兵士が手で下に押《お》さえつけます。それを何回かくり返すうちに、兵士が〝go go!(行け、行け!)〟と、手の甲をわたしたちに向けて、シッ、シッ、と追いはらうようなジェスチャーをしました。

通訳にうながされて、わたしたちは早歩きでその場を離《はな》れました。(けっして走って逃げてはいけない、振《ふ》り向いてもいけない)と心の中でくり返していました。

(後ろから、とつぜん撃《う》たれるのではないか?)

首筋《くびすじ》から背中に悪寒《おかん》が走っているのを感じました。わたしたちの車が隣《となり》をゆっくり

銃をもつ子ども兵士たち

走って近づいてきたのに気がついて、わたしたちは飛び乗りました。

そして、とにかく隣町《となりまち》まで逃《に》げることにしました。町にようやく着き、ほっと一息ついて、売店でコカコーラを買い、一気に飲み干《ほ》しました。

すると、隣《となり》のバーで飲んでいた酔《よ》っ払《ぱら》った兵士が近づいてきて、わたしたちにからんできました。薄暗《うすぐら》いバーの中から、他の兵士たちが笑いながらこちらを見ているのがわかりました。

通訳《つうやく》はわたしたちのことを説明してくれているようでしたが、酔っ払った兵士は通訳を突《つ》き飛ばして、腰《こし》からピストルを抜《ぬ》きました。わたしとカメラマンに手を上げて、自分について来るようにジェスチャーをしました。

木造《もくぞう》の平屋の間の細い路地をついていくと、ゴミ捨《す》て場になっている空き地に抜けました。兵士は立ち止まってふり返りました。ピストルを向けたまま何かを言っていますが、通訳がいないので言葉がわかりません。

わたしはコカコーラを飲みたいと思った自分に後悔《こうかい》していました。

（さっき助かったばかりなのに…）

今回は周りにだれもいません。しかも、相手は酔っ払っています。

（これはいよいよ終わりかも…）

わたしはそう思いました。

酔っ払った兵士はだれも聞いていない演説《えんぜつ》のように長々としゃべっていました。そして、わたしのウエストポーチを指差して、

「フォア・マイ・スピーチ！（演説代をよこせ！）」

と言いました。わたしは相手を刺激《しげき》しないように笑顔を作って聞きなおしました。

「ユー・ミーン・マネー？（お金ってこと？）」

兵士は、無言で大きくうなずきました。

ピストルの銃口《じゅうこう》はこちらを向いたままです。わたしとカメラマンは、かばんとポケットをまさぐって、目に付いたアメリカ・ドル札をまとめて渡《わた》しました。もちろん数えている余裕《よゆう》などありません。

兵士は、

「オーケイ、オーケイ、サンキュー。」

と言ってわたしの肩《かた》をポンポンとたたくと、その場から去っていきました。

わたしとカメラマンは無言でした。この日の二つの出来事で疲《つか》れ果ててしまったのです。

取材のために持ってきたお金も一気に底をついてしまいました。わたしたちはやむを得ず取材を終えて、ルワンダを出ることに決めました。

# 2 ジェノサイド《大量虐殺《ぎゃくさつ》》

子ども兵士たちにつかまった最前線の町から、首都キガリにもどったのは翌日《よくじつ》でした。

帰国せざるをえなくなったわたしは、壁《かべ》に銃弾《じゅうだん》の跡《あと》がたくさん残る首都キガリの空港の待合室にいました。

腰《こし》かけたプラスチック製のベンチは脚《あし》がとれていて、背《せ》もたれによりかかっていないと前に傾《かたむ》いてお尻《しり》が前にすべり落ちそうでした。滑走路《かっそうろ》に面した窓《まど》ガラスはすべて割《わ》られています。太陽は、ちょうどこれから空を赤く染《そ》めようとしていました。わたしは割れた窓ガラスからさしこんでくる陽射《ひざ》しがオレンジ色に変わっていくのをながめていました。

割《わ》られた窓《まど》の近くに、背《せ》の高い兵士が夕陽をあびて立っていました。わたしからはちょうど逆光《ぎゃっこう》になっていて彼《かれ》の表情《ひょうじょう》は見えませんでした。

空港内は撮影禁止《さつえいきんし》。でも、そのシルエットがあまりに美しかったので、わたしは持っていたカメラのシャッターをこっそり押《お》しました。


あれから十年以上の年月が経《た》ちました。

雨でぬかるんだ地面、「外国人は見たら殺せ」とくってかかった子ども兵士たち、鈍《にぶ》く光るピストルの銃口《じゅうこう》、酔《よ》っ払《ぱら》った兵士に連れていかれたゴミ捨《す》て場、銃弾《じゅうだん》の跡《あと》が残る空港の建物、割れた窓ガラスからさしこむ濃《こ》いオレンジ色の夕陽や、滑走路《かっそうろ》を見つめる兵士の姿《すがた》……。

わたしにとって、まるで昨日の出来事のように思えました。

ナイロビから飛び立って一時間、飛行機はあっという間にキガリに到着《とうちゃく》しました。乗客はタラップを降《お》りると、空港の建物まで百メートルほど歩いていきます。滑走路も建物も改装《かいそう》されてとてもきれいでした。昔の戦闘《せんとう》の跡はもうどこにも見られません。入国手続きもすんなりと進み、荷物をとってゲートの外に出るまで、いらいらすることはまったくありませんでした。タクシーの運転手たちも警戒《けいかい》する必要を感じないほど、おだやかな対応《たいおう》でした。

まず驚《おどろ》いたのは、空港からホテルまでの道路の美しいこと。よく掃除《そうじ》されていて、紙くずひとつ落ちていません。

途中《とちゅう》、色とりどりの花が植えてある小さな円形の公園を通ります。そこには、長いスカートをはいた女性が子どもの手をひいて前を向いて歩く姿の白い銅像《どうぞう》が建てられています。その女性と子どもの銅像は、堂々としていてとても力強く感じます。

ルワンダは、アフリカ大陸のほぼ中央部に位置する自然の豊《ゆた》かな小さな国です。四国ほどの広さの国土に約九百万の国民のほとんどが農業をしながら暮《く》らしています。

第一次大戦前はドイツ、その後はベルギーに植民地として支配《しはい》されました。しかし、一九六二年にそうした植民地支配は終わり、ひとつの独立国《どくりつこく》として歩み始めました。ルワンダでは、人口の八割《わり》をしめる多数派のフツ族と、少数派のツチ族という二つの民族が、これまでいっしょに暮らして来ました。

ところが、独立した後に問題が起きました。ツチ族とフツ族の二つの民族が、どちらが国を治めるかということについて、対立を深めていったのです。

かつて植民地だったころは、ベルギーなどの欧米諸国《おうべいしょこく》から支持されて、少数派のツチ族が国を治めていました。ツチ族の人たちの方が、収入も多かったといいます。

でも、一九七三年に多数派のフツ族出身の大統領《だいとうりょう》が国を治めるようになると、ツチ族の人たちを「欧米の言いなりの手先だ」と、きびしく批判《ひはん》しました。ツチ族の人たちを逮捕《たいほ》して刑務所《けいむしょ》に送りこんだり、財産《ざいさん》を取り上げたり、死刑にしたり、きびしく押《お》さえつけるようになりました。ツチ族とフツ族、二つの民族の立場がひっくり返ったのです。

はげしい弾圧《だんあつ》を受けたツチ族の人たちは、もうルワンダには住んでいられないと、家財《かざい》道具をリヤカーに積んで逃《に》げ出しました。隣《となり》の国ウガンダやコンゴ（旧《きゅう》ザイール）、タンザニアに国境《こっきょう》を越《こ》えて避難《ひなん》し、※難民《なんみん》となったのです。

その中で、ツチ族の人たちが中心となり反政府勢力《はんせいふせいりょく》『ルワンダ愛国戦線』を作りました。

ルワンダ愛国戦線は、自分たちを追い出したルワンダ政府軍と国境付近で戦闘《せんとう》をくり広げていきました。

ツチ族とフツ族――二つの民族の対立はやがて悲劇的《ひげきてき》な結末を迎《むか》えます。

一九九四年、フツ族の大統領を乗せた飛行機が何者かに撃墜《げきつい》されました。これに怒《おこ》ったフツ族の過激派《かげきは》と政府軍の一部が、国内に住んでいたツチ族の人たちを次々に殺し始めたのです。

フツ族の一般市民も、武器や刃物を持ってツチ族の住民をおそいました。かつて隣《りん》

※難民…戦争、宗教や民族対立、貧困などで住む場所を失った人々。

人《じん》として暮《く》らしていた人たちが殺しあうという、もっとも悲惨《ひさん》で残虐《ざんぎゃく》なことがおきたのです。

おびただしい数の人たちが殺されました。兵士ではなく、力のない老人や女性、子どもたち、赤ちゃんまでもが、ツチ族というだけで殺されました。また、政府《せいふ》の暴力《ぼうりょく》に反対するフツ族の人たちも同じように殺されました。

三か月間で八十万人以上（百万人とも言われています）が殺されたのです。

『ジェノサイド〈大量虐殺《ぎゃくさつ》〉＝短い期間にたくさんの人たちを無差別に殺すこと』――わたしたちの歴史の中でけっして忘《わす》れてはならない悲惨な事件です。

そんな中で、内戦はどんどん状況《じょうきょう》が変化していきました。

この大虐殺事件のあと、ツチ族が中心の反政府勢力《はんせいふせいりょく》・ルワンダ愛国戦線が強力な反撃を始めました。やがて彼《かれ》らは、ルワンダ全土をおさえて新しい政府を作りました。

ルワンダから追い出された前の政府の兵士たちは、隣《となり》のコンゴ民主共和国に逃《に》げこみ、地元の反政府勢力と結びついて国境地帯《こっきょうちたい》で戦闘《せんとう》をくり返していたのです。

わたしが初めてルワンダを取材に訪《おとず》れた一九九六年の春は、そんな状況の時期でした。

ルワンダ国内は、ルワンダ愛国戦線によって治められ、落ち着きを取り戻《もど》したように見えていました。とはいえ、内戦と『ジェノサイド〈大量虐殺〉』の影響《えいきょう》は、人びとの間に暗い影《かげ》を落としたまま、なかなか解決《かいけつ》できないでいました。

戦争が終わって新しい政府ができても、まだ戦闘も続いていましたし、ジェノサイドから生き残った人たちや外国に逃げていた人たちは自分たちの故郷《こきょう》に戻って、とにかく自らの手で必死に畑を耕《たがや》して何とか食べ物を手に入れていました。だれも助けてはくれません。土地はもちろん、国の制度や法律《ほうりつ》、人の心まで、とても荒《あ》れ果てていたのです。

一番深刻《しんこく》な問題は、孤児《こじ》と家族を失った女性たちのことでした。ルワンダでは長く続いた内戦とジェノサイドによって、数え切れないほどの孤児が生まれました。

ルワンダの西にあるキブ湖。その湖畔《こはん》の町ルヘンゲリは、難民《なんみん》や孤児や家族を亡《な》くした女性など、戦闘《せんとう》によって傷《きず》ついた人たちをケアするために、さまざまな国連の機関やNGO（民間の支援《しえん》団体）の事務所が集まっていました。郊外《こうがい》には、国連の大きな白いテントを中心に、青や黒の形もまばらな小さなビニールテントが広がる難民キャンプがありました。

そのすぐ脇《わき》に建てられたNGOの施設《しせつ》では、母親や父親、家族や親戚《しんせき》の行方がまったくわからない子どもたちが集まっていっしょに暮《く》らしていました。

身寄りのない子どもたちはここへ連れてこられると、まず名前と年齢《ねんれい》と暮らしていた場所の地名を聞かれます。NGOの女性職員《しょくいん》がそれらをノートに登録しながら、プラスチック製の細長いタグに名前と地名を書いて、子どもたちの腕《うで》にはめていきます。ほとんどの子どもたちは、難民キャンプに来たばかりの時に国連に作ってもらった手書きの身分証明書《しょうめいしょ》を首から下げていました。

NGOの職員たちは、子どもたちから得られるほんの少しの情報を手がかりに、子どもたちの親を探して村から村をまわって、地元の人たちに聞きこみをします。手がかりをつかむと、今度は子どもたちを連れて村を訪《おとず》れ、近所の人たちや子どもを失った母親たちと面会させて、実際に親子かどうかを確認《かくにん》します。この活動は、『ファミリー・トレーシング』と呼《よ》ばれます（『トレーシング』は、『すり合わせる』という意味です）。

子どもたちは、親や親戚が見つかるまでの間、この施設で暮らします。施設で子どもたちの面倒《めんどう》をみていたのは、ジェノサイドで自分の子どもや家族を殺された女性たちでした。

小さい赤ちゃんを抱《だ》いて、子守唄《こもりうた》をうたっている若《わか》い女性に話を聞いてみると、

「わたしは、内戦とジェノサイドで夫と子どもを亡《な》くしました。この子は私の子どもではありません。でも、この子は私に抱《だ》っこされていると落ち着くみたいです。わたしも、この子を抱っこしていると心が落ち着きます。」

と、か細い声で答えてくれました。

当時、わたしとカメラマンは戦闘《せんとう》の前線取材をする前に、この『ファミリー・トレーシング』の活動を取材しました。子どもたちと親が再会《さいかい》する瞬間《しゅんかん》を記録したいと思ったからです。

取材中、不思議に感じていたことがありました。ほとんどの場合、子どもを迎《むか》えるのは母親だけなのです。父親の姿《すがた》は見られませんでした。ＮＧＯの職員《しょくいん》はその理由をこう説明してくれました。

「内戦、それにジェノサイドで、ツチ族の男性の大半が殺されてしまいました。家族を亡くした女性たちがたくさんいるんです。彼女《かのじょ》たちは、建設《けんせつ》現場や農場で日雇《ひやと》いで働いています。畑を耕《たがや》したり、果物を収穫《しゅうかく》したりといった農作業が主な仕事です。

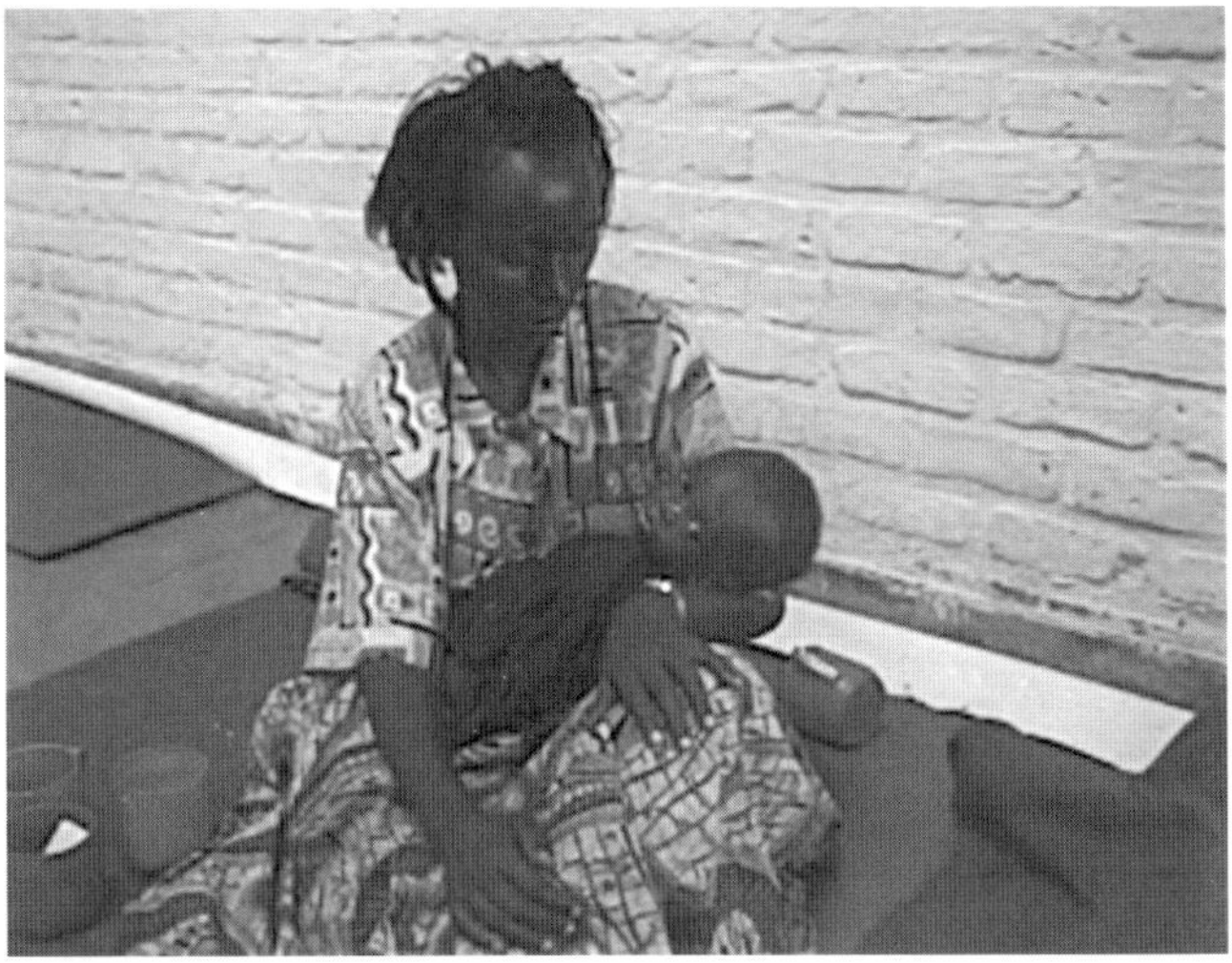

赤ちゃんを抱く女性

再会をよろこぶ母と子

なにせ、男がいないのですから、残された女性たちは、生きていくために何もかも自分でやらなくてはならないのです。」

「実際《じっさい》に孤児《こじ》の数と家族を亡《な》くした女性の数はどのくらいになるのですか？」

「虐殺《ぎゃくさつ》のあと、孤児はおよそ五十万人。家族を亡くした女性ははっきりとした数はわかりませんが、少なくとも結婚していた女性の三人に一人は夫を亡くしていると言われています。」

生き残った女性たちは、今でも心と体に深くて痛々《いたいた》しい傷《きず》を抱《かか》えて暮《く》らしています。

今回、わたしはそうした女性たちの今の暮らしぶりを知るために、ルワンダでもっとも大きなNGO（民間の支援《しえん》団体）『アベガ・アガホゾ』を訪《たず》ねました。

『アベガ』とは、「虐殺を生きのびた女性の協会」、『アガホゾ』とは「泣かないで」という意味です。

アベガは、虐殺事件の後遺症《こういしょう》に苦しむ女性や孤児を支援するために、虐殺事件の翌《よく》年《ねん》に活動を始めました。

大虐殺が起こった時、首都キガリで他のたくさんの女性たちと同じように、男性たちから激《はげ》しい暴行《ぼうこう》を受けた一人の女性の精神科医《せいしんかい》がいました。

あらゆる暴力を受けた経験《けいけん》はけっして消し去ることはできません。でも、生き残ったのだから、この苦しみを乗り越《こ》えて生きていかなくてはならないと彼女《かのじょ》は考えたのです。こうして彼女が中心となり、アベガの活動は同じ悩《なや》みを抱えた女性たちがおたがいに自分の経験を語り合うことから始まりました。

現在《げんざい》では、スタッフ二百人以上、国内に五か所の支部《しぶ》を持ち、およそ二万五千人の被害者《ひがいしゃ》を支援しています。

今、アベガで大きな問題になっているのが、未亡人《みぼうじん》たちの間に増《ふ》え続けるエイズです。

エイズウィルスの潜伏期間《せんぷくきかん》は二年から十年。

大虐殺の時に男性から暴行を受けて、エイズウィルスに感染《かんせん》した女性たちが、ここ数年次々と発症《はっしょう》しているのです。

アベガの代表アスンプタさんは、ジェノサイドの時、何が起こっていたのか話してくれました。

「虐殺《ぎゃくさつ》の時、女性に暴行《ぼうこう》することが武器のひとつとして使われたんです。」

「武器?」

「はい。男たちはフツ族の民兵の中に、女性をねらって暴行するグループを組織《そしき》したのです。そこにはエイズウィルスに感染《かんせん》した者が大勢《おおぜい》含《ふく》まれていました。彼《かれ》らの目的は、女性たちに感染を広げることでした。ただ殺すだけではなく、ゆっくりと時間をかけて感染を拡《ひろ》げて、ツチ族の血を永遠に絶《た》やそうとしたのです。」

銃《じゅう》や刃物と同じように武器としてレイプを用いたという話は、これまで聞いたことがありませんでした。わたしは言葉を失いました。

アベガの診療所《しんりょうじょ》では、無料で血液検査《けつえきけんさ》を行ないます。その結果、エイズウィルスに感染していることがわかると、薬の処方《しょほう》やケアを施《ほどこ》します。検査や治療《ちりょう》は、基本的《きほんてき》に無料。これまでの二年間でおよそ五千人が検査を受けたといいます。

「検査の結果、これまでに一千人がエイズウィルスに感染していることがわかりました。」

「一千人も感染しているのですか？」

「そのうちの五百人ちかくがここで薬をもらっています。」

診療所のランギラ医師《いし》にも話を聞きました。

「ここの患者《かんじゃ》は、みんなとても深刻《しんこく》な状況《じょうきょう》にあります。彼女《かのじょ》たちは、虐殺事件の時に暴行されて、エイズウィルスに感染させられてしまったのです。一番憎《にく》むべき相手からうつされてしまったのです。だから、彼女たちは精神的《せいしんてき》にもいつも不安定な状態にあります。」

中には、気が狂《くる》いそうになると訴《うった》える女性たちもいるといいます。診療所の廊下《ろうか》には、診察《しんさつ》を待つ女性たちの列ができていました。

「女性たちは暗い表情《ひょうじょう》をしていますね。」

「ええ。ですから、治療《ちりょう》の他に大切なのはアドバイスなんです。薬を飲めば生きられるときちんと説明する必要があります。けっして力を落としてはいけない、あきらめてはいけないと信じさせることがとても重要です。」

患者《かんじゃ》の女性たちにも話を聞きたいと思いましたが、なかなか首を縦《たて》にふってくれる人はいません。エイズという深刻《しんこく》な病気を抱《かか》えているのですから、人に話したくないと思うのは当たり前のことです。

そんな中で、インタビューを受けても良いと言ってくれた人がいました。ムカブワナ・ロザリーさん（四十九歳《さい》）でした。わたしは、ロザリーさんの首の後ろが、ザックリとくぼんでいることに気づきました。彼女《かのじょ》は、ジェノサイドが起こった時、男の兵士から暴行されうえに、刃物で体を十数か所も傷《きず》つけられたのです。

「ナタで切られたのですか？」

「この首の後ろは刀で切られました。」

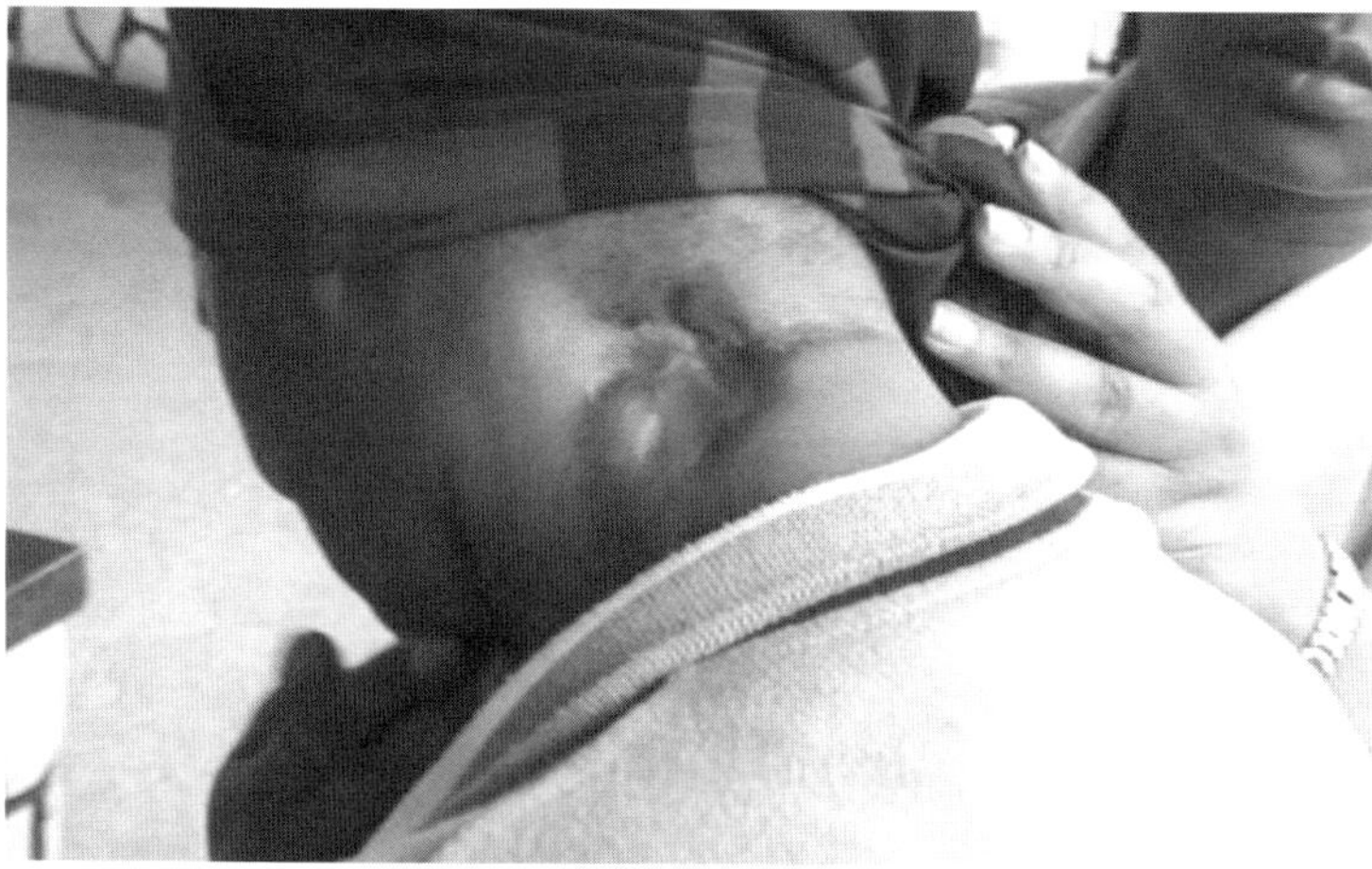

ロザリーさんの首に残る傷あと

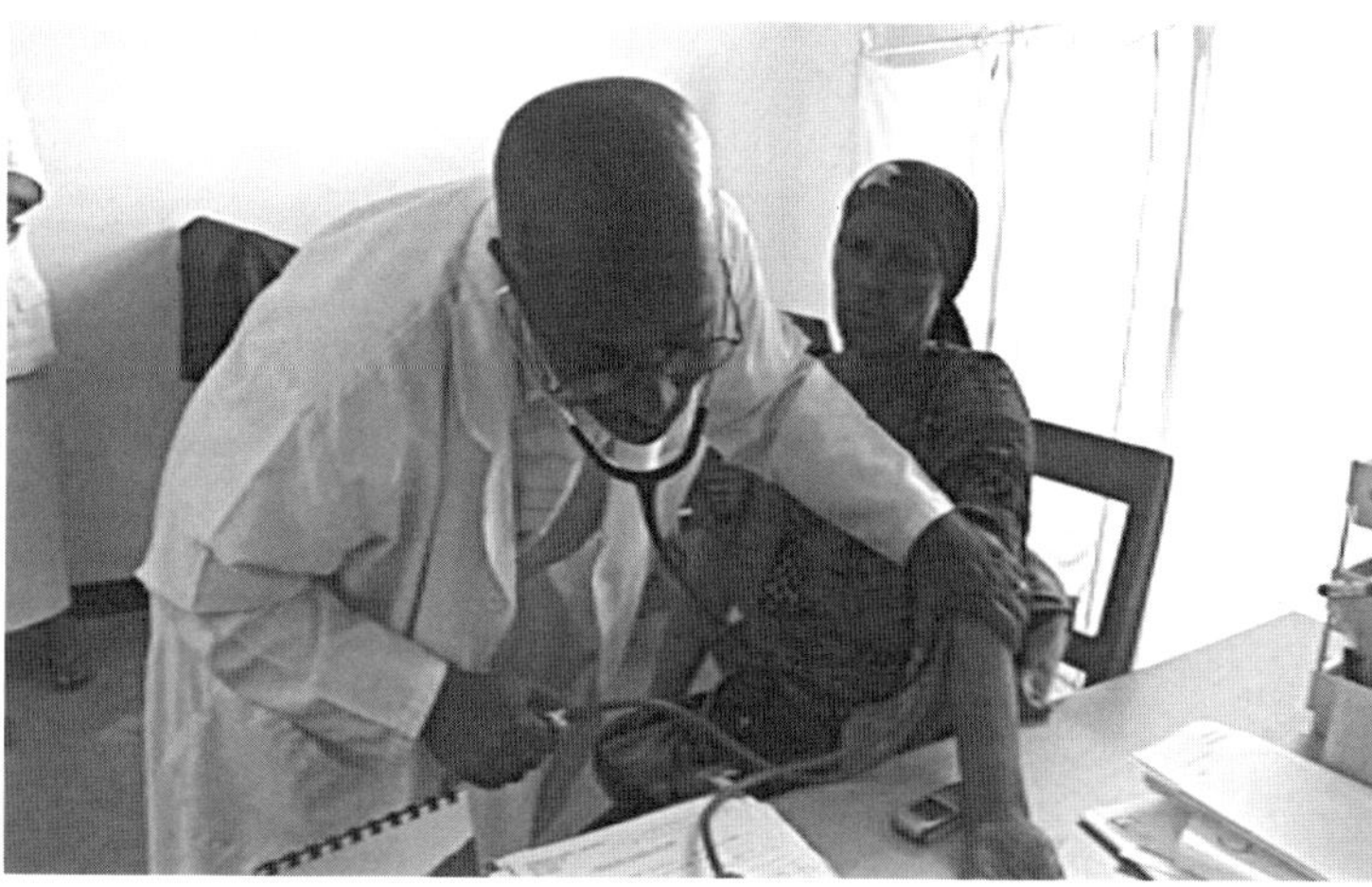

診察をうける女性

ロザリーさんの左の太ももからふくらはぎにかけて、刃物で切られたまっすぐな傷《きず》あとがいくつも残っていました

「血管を切られているそうです。足がよくしびれます。とても苦しくて、歩けない時もあります。」

わたしは、彼女《かのじょ》が説明してくれるのを、ただ聞いていました。

「ずっとここで治療《ちりょう》を受けているのですが、本当に大変です。子どもたちは運良く無事でした。運が良かったとしか言いようがありません。子どもたちを殺された人たちもたくさんいますから。」

ロザリーさんの声が震《ふる》えているのがわかりました。

「わたしは今でもしょっちゅう精神的《せいしんてき》に不安定になってしまいます。だから、今は長女の夫婦《ふうふ》がいっしょに住んで、面倒《めんどう》をみてくれています。他の子どもたちは家を出て、それぞれ自分で生活しています。」

去年、ロザリーさんは血液検査《けつえきけんさ》を受けました。その時に、エイズウィルスに感染《かんせん》し

ていることがわかり、今は『ARV』というエイズの発症《はっしょう》をおさえる薬をもらって治療を受けています。強い薬のためか、ロザリーさんはときどき気持ちが悪くなったり、胃や肝臓《かんぞう》に痛《いた》みをおぼえるといいます。

週に三回はアベガの診療所《しんりょうじょ》を訪《おとず》れ、ランギラ医師《いし》に診《み》てもらっています。

「だいぶ調子が悪いんだね。」

「ええ、もうだめです。せきがひどくて、のどがいがらっぽい。ご飯も食べられません。」

「薬は飲んでいるの？」

「はい、飲んでいます。」

「せきがひどいのなら肺炎《はいえん》を起こす可能性《かのうせい》もあるし、いろいろ心配だな。レントゲンをとってみないといけないね。」

症状《しょうじょう》が重い場合は、より設備《せつび》の整った病院に紹介《しょうかい》します。ロザリーさんは大きな病院でレントゲン検査を受けることになりました。

ロザリーさんのように、恐《おそ》ろしい体験をしながら、奇跡的《きせきてき》に助かった人たちのことを、ルワンダの人たちは『サバイバー＝生き残った人』と呼《よ》びます。

マリアンさんも『サバイバー』の一人です。

マリアンさんは、右耳が切られて半分になってしまいました。音もよく聞こえないといいます。体中、足の裏《うら》までナタで切られた跡《あと》が残っています。

マリアンさんは、当時まだ十八歳《さい》でした。

「わたしはありとあらゆる暴行《ぼうこう》を受けました。そのときは……何も考えられませんでした。」

ごくふつうに、静かに受け答えをしていたマリアンさんですが、だんだんと声が震《ふる》えてくるのがわかりました。

両親と八人の兄弟姉妹と暮《く》らしていましたが、生きのびたのはマリアンさんだけでした。

「ジェノサイドが始まった日のことを覚《おぼ》えていますか？」

「はい、四月の十四日のことでした。午後三時くらいだったと思います。フツ族の民兵たちがとつぜん家を襲《おそ》ってきたのです。家にいた両親と兄弟姉妹はその場で殺されました。あっという間のことでした。

わたしは、男たちに暴行されました。その後、体中を切られました。彼らは、わたしも含《ふく》めて全員死んだと思ったようで、なにか言い合いながら、家を出て行きました。本当に嵐《あらし》のような出来事でした。

次の日、わたしは目を覚ましました。自分は死んでいないと気がついたのです。助けを求めて家を出て歩きまわっていました。前日にわたしたちを襲った民兵がわたしを見つけました。そして、『まだ生きていたのか、それなら歩けないようにしてやる』と言って、また足を切られました。今度は足の裏です。」

マリアンさんは履《は》いていたサンダルをぬいで足の裏を見せてくれました。直線の傷《きず》が無数にありました。

「家は焼かれ、土台しか残っていませんでした。屋根や壁《かべ》もありません。その場所で、わたしはただ横になっていることしかできませんでした。

たしか三日目だったと思います。近所の人（フツ族の住民）に見つけられました。彼《かれ》らはわたしを自分たちの家に運んで行ってくれました。屋根裏《うら》にかくまってくれたんです。

薬はありませんでしたが、その家の奥《おく》さんはきれいなお湯で傷口《きずぐち》をふいてくれました。

わたしは横になったまま動けませんでした。太陽の光がまぶしくて、とても暑かったのを覚《おぼ》えています。」

それまで、仲良く暮《く》らしていた近所の人たちがとつぜん変わって、自分や家族を襲《おそ》いかかってくるようすは、いくら言葉できいたり、文章で読んだりしてもなかなか想《そう》像《ぞう》できるものではありません。でも、ロザリーさんやマリアンさんが無数に持つ体の傷跡《あと》を見ると、こちらも心臓《しんぞう》の鼓動《こどう》がはげしくなり、体中の関節《かんせつ》が痛《いた》くなります。

「体の調子はもういいのですか?」

「頭を切られたせいか、まだ時々頭が痛くなります。」

「これから、やりたいと思っていることは何ですか?」

「何か商売をしたいです。それに、ジェノサイドのせいでわたしは途中《とちゅう》までしか学校に通えていないので、勉強したいとは思いますが……。太陽の陽射《ひざ》しを長い時間あびていたり、火を見たりすると頭が痛くなってしまうんです。ですから、あまり無理はしないようにしています。

今は、生きているだけで幸せです。」

## 3　ジェノサイドから立ち上がって

アベガで女性たちから話を聞きながら、わたしは一人の女性が来るのを待っていました。

国会議員のアルフォンシン・ムカルゲマさんです。

アルフォンシンさん自身もまた、ジェノサイドで家族を失った女性の一人。家族を殺された悲しみや苦しい生活を、アベガの活動を通して乗りこえてきました。

国会議員になった今は、アベガのように孤児《こじ》や家族を亡《な》くした女性たちを助ける活動を支援《しえん》することに力を注いでいます。

毎年ジェノサイドが起こった四月七日を含《ふく》めた一週間、ルワンダでは国全体が犠牲《ぎせい》者《しゃ》の死を悼《いた》み、悲劇《ひげき》を二度とくり返さないようにと祈《いの》ります。各地で追悼《ついとう》の式典や講《こう》演会《えんかい》、勉強会など、いろいろな行事が開催《かいさい》されています。

アルフォンシンさんは、国会が休みになるこの時期に、アベガの活動のようすを見学しにきたのです。特に、ジェノサイドで暴行《ぼうこう》にあった女性たちに広がるエイズの実《じっ》態《たい》を知りたいと考えていました。

大きな体に、黒いスカートのスーツを着て、腕《うで》には薄紫色《うすむらさき》の小さな布《ぬの》を巻《ま》いています。この薄紫色の布には、ジェノサイドを思い出して祈るという意味がこめられています。ちょうど日本の数珠《じゅず》のようなものです。この時期、ルワンダの人たちは薄紫色の布を身につけて犠牲者を悼むのです。

アルフォンシンさんは、出会う女性たちに声をかけていきます。

「もう帰るの？　お元気ですか？」

「あまり……」

「つらい時期だけど元気出してね。」

「はい、でも中にはたえられない人もいます。」

「子どもたちは元気ですか。」

「みんな、元気です。」

アルフォンシンさんが初めてアベガの活動に参加したのは、ジェノサイドがおさまり、戦争が終わってからのことでした。

アルフォンシンさんは、ジェノサイドで夫と長男、自分の兄や親戚《しんせき》のほとんどを殺されました。残された三人の子どもは、ジェノサイドの恐怖《きょうふ》とショックで、言葉が話せなくなったり、恐《おそ》ろしい夢を見たり、とつぜんせきが止まらなくなったり、物が食べられないような症状《しょうじょう》に苦しんでいました。そんな時、相談のためによくここを訪《おとず》れたといいます。

やがてアルフォンシンさんはアベガの運営《うんえい》に自ら参加するようになりました。国会議員になった今は、アベガの役員を務《つと》め、活動を支援《しえん》する側になっています。

現在《げんざい》の副代表ジョセフィーヌさんは、アルフォンシンさんと同じ村の出身です。ジ

アルフォンシンさん（左）とジョセフィーヌさん（右）

ェノサイドの直後から助け合って、共に苦しみや悲しみを乗り越《こ》えてきた親友です。

二人はしっかりと握手《あくしゅ》して抱《だ》き合いました。アルフォンシンさんは顔を離《はな》して、ジョセフィーヌさんに静かに語りかけました。

「この時期になると毎年つらいけど、元気？」

「こればっかりはねえ、どうにもならないわ。」

「そうねえ。」

「わたしたちは大丈夫《だいじょうぶ》よ。でも、苦しんでいる人も多いわ。薬も足りないし。あなたには、わたしたちの代弁者《だいべんしゃ》であってほしいわ。今ここにある問題を見て、わたしたちの声を国会に届《とど》けてほしい、国の政治《せいじ》の場に届けてほしいわ。」

ルワンダの各地には、こうした施設《しせつ》にもたよることすらできない被害者《ひがいしゃ》がまだたくさんいます。

「まだまだ大変ね。もっと支援先《しえんさき》を探《さが》さなくてはいけないわね。」

アルフォンシンさんは、診療所《しんりょうじょ》に向かう女性たちに視線《しせん》を向けながら、自分に言い聞かせるようにつぶやきました。

患者《かんじゃ》の女性たちは、家族を殺されたという同じ問題を抱《かか》えながら、国会議員として活躍《かつやく》しているアルフォンシンさんに、大きな期待を抱《いだ》いています。自分たちの今の暮《く》らしや困《こま》っていることを聞いてもらおうと、彼女《かのじょ》の周りに自然に女性たちが集まってきました。アルフォンシンさんは、一人ひとりから話を聞きます。

「戦争は、わたしのすべての問題のはじまりです。あのジェノサイドで男たちから暴行《ぼうこう》され、エイズになりました。家族みんなが命を落とし、今では一人ぼっちです。今は住むところもありません。」

「わたしも発病していますが、同じ問題を抱えた人たちとここで語り合い、ようやく生きる気持ちになっています。命ある限《かぎ》り、わたしはあきらめません。」

その中には、ロザリーさんの姿《すがた》もありました。アルフォンシンさんは、彼女の首の傷《きず》に手をやり、

「あなた、こんなひどいけがをして、よく生きていたわね。神様にしかできないことね。」

と言葉をかけました。ロザリーさんは持っていたハンカチで涙《なみだ》をぬぐいながらだまってうなずきました。

わたしは、アルフォンシンさんにこれだけの患者が集まってくるのはなぜなのか、たずねました。

「ここにくる人たちは、他のたくさんの女性たちと同じ問題を抱えていますから。みんな安心して話ができます。理解《りかい》し合えるんですね。よくあることですが、ジェノサイドで傷をおった人たちは、町や村で自分に激《はげ》しい暴力や暴行を与《あた》えた人の家族や親戚《しんせき》と出会ったりするととても動揺《どうよう》しますし、精神的《せいしんてき》に不安定になったりします。

ここにはそんな女性たちの話を聞き、理解《りかい》してくれる介護士《かいごし》もいます。その女性たちも同じようなジェノサイドの犠牲者《ぎせいしゃ》なのです。

それに、女性たちは顔見知りでなくても、ここではすぐに相手の苦しみを自分のものとして考えることができます。おたがいの悲しみや苦しみを、『あなたも大変ね、でもがんばるわ』と励《はげ》ましあって、いっしょに生きていきましょうと。すると、気分も体調も良くなっていったりします。」

「でも、けっしてかんたんなことではありませんね。どのような支援《しえん》が必要だと考えていますか？」

「支援してくれるというのは、つまり、わたしたちの問題をわたしたちといっしょに考え、解決《かいけつ》していってくれるということです。なかなかそうした支援のあてはありません。まだまだ探《さが》しているところです。

もちろん期待はしています。でも、だれからも約束はされていません。わたしは、こうした問題があることを発言していくことが大切だと思っています。いろいろな人たちに広く知ってもらうんです。そう、発言し続けることです。

あなたのような人にも知ってもらわなくてはなりません。

そのためには、ここにいる患者《かんじゃ》さんたちもだれかにたよってばかりではいけません。自分たちの問題を他の人たちにかくさずに話して、みんなで『どうにかしよう』と道を探す必要があります。わたしたちの状況《じょうきょう》を知れば、同じような思いを持つ人たちもいるはずです。共感しあえたなら、協力してくれる人たちの輪が広がっていきます。」

わたしの目をまっすぐに見すえるアルフォンシンさんの日は、（ここにいるあなたには伝える責任《せきにん》があるのよ！）とうったえています。

「今の問題は、診療所《しんりょうじょ》にくる患者の人たちに十分にいきわたる薬を用意できるようにすること。エイズの薬ではなく、ふつうの病気を治すための薬の方がまったく足りないのです。」

わたしは、問題はたくさんあって、待っているだけではけっして解決しないと言うアルフォンシンさんの堂々とした態度に感心しました。なぜなら、彼女《かのじょ》もまた他の女性たちとまったく同じ深い悲しみと苦しみを味わっているからです。彼女《かのじょ》の心の中にも、きっとどうしようもなく消すことのできない傷《きず》が残っているはずなのに……。けっして押《お》しつぶされずに、立ち向かっていこうとするこの力強さは、いったいどこから来るのだろうと、わたしは思いました。

「がんばってください。」

わたしがアルフォンシンさんと話していた時、背中《せなか》を丸めて、片足をひきずって歩いている一人の女性が、とつぜん彼女に声をかけて、握手《あくしゅ》を求めました。たくさんの女性たちが、同じ女性の国会議員に大きな期待をかけているのです。

アルフォンシンさんは続けて答えました。

「以前は政治《せいじ》の世界には、女性はほとんど参加することができませんでした。女性の意見は無視《むし》されていたんです。

わたしはこう思うんです。『もし、わたしたちが政治に参加できていたなら、あのジェノサイドは起こらなかった』と。女性は、家族はもちろん、他の人のことを思いやる気持ちが男性より強いと思います。

それに、戦争やジェノサイドなどが起こると、苦しむのはいつもわたしたち女性ですから……。」

## 4　生き残った母と三人の息子たち

アルフォンシンさんの家族はもともと小さな農家でした。十歳《さい》のころに父親が病気で亡《な》くなってからは、母親が畑仕事や市場で物を売ったりしながら、アルフォンシンさんと弟を育ててきました。新しい服を買えるような余裕《よゆう》のある生活ではなかったといいます。

教育に熱心だった母親は、畑仕事が大変な時でもアルフォンシンさんを学校に行かせて、勉強することを優先《ゆうせん》させました。

勉強することが大好きだったアルフォンシンさんは、小学校と中学校を優秀《ゆうしゅう》な成績《せいせき》で卒業します。そして、当時は裕福《ゆうふく》な家庭の子どもたちしか入学できない、外国のカ

アルフォンシンさんとラザゼさん

ソリック教会が運営《うんえい》する高校に、特待生として入ることができました。アルフォンシンさんは、とてもうれしかったといいます。

高校を卒業して、アルフォンシンさんは小学校の算数の先生になりました。

やがて、同じ村で高校の先生をしていたラザゼさんと結婚。四人の息子に恵《めぐ》まれました。

でも、一九九四年四月十九日、一家のおだやかな生活はとつぜん終わってしまいます。アルフォンシンさんの村でも、ジェノサイドが始まったのです。

首都キガリからフツ族の過激《かげき》なグループが押《お》し寄せてきました。彼《かれ》らは正式な軍隊ではありませんが、政府《せいふ》から武器を与《あた》えられた「民兵」と呼《よ》ばれる男たちでした。民兵たちは、ツチ族の男たちをつぎつぎに襲《おそ》いはじめました。民兵のグループに、銃《じゅう》やナタを手にした町の若者《わかもの》たちも加わって、まるで狩《か》りをするように人を捕《つか》まえて、殺していきました。

家族の身の危険《きけん》を感じたラザゼさんは、アルフォンシンさんと子どもたちを別々に、信頼《しんらい》のできるフツ族の知り合いにあずけました。フツ族の人たちにかくまってもらえば、殺されないからです。生徒の教育に熱心だったアルフォンシンさんとラザゼさんは、父母たちから信頼されていました。協力して助けてくれるフツ族の友人もいたのです。

その後、ラザゼさんは他の先生たちといっしょに、学校に隠《かく》れることにしたのです。でも、ラザゼさんは二度とアルフォンシンさんや子どもたちと会うことはできませんでした。

身を隠していた学校がフツ族の民兵グループに襲われて、殺されたのです。

長男はおじさんと逃《に》げていましたが、村から少しはなれた場所で命を奪《うば》われました。アルフォンシンさんがこのことを知ったのは、それから三か月以上もあとのことだったといいます。

わたしはこの日、アルフォンシンさんの自宅を訪《たず》ねました。家は、国会議事堂のあるキガリ中心部から車で十五分ほど。たくさんの市民が買い物にくる大きな市場の近くの住宅街にあります。国会議員だからといって、豪華《ごうか》な家に住んでいるわけではありません。丘《おか》の多いルワンダでは、ほとんどが丘の斜面《しゃめん》に建てられた一階建ての家です。アルフォンシンさんは、そこに生き残った三人の息子と姪《めい》と住んでいます。

赤茶色をした薄《うす》い鉄板の門が開いて、末っ子のパトリスさんが迎《むか》え入れてくれました。玄関《げんかん》では次男のロジャーさん、三男のギルバートさんが、笑顔で「ようこそ」と言って迎えてくれて、握手《あくしゅ》をしました。三人ともバスケットボール選手のように背《せ》が

アルフォンシンさんの息子たち

高い！

「飲み物は？　コーラ、それともスプライト？」

リビングルームで、アルフォンシンさんは冷たい飲み物とピーナッツを用意してくれていました。

そして息子たちを一人ひとり紹介《しょうかい》してくれました。

末っ子のパトリスさんは、工学を学ぶ大学生。ジェノサイドが起こった時は、わずか四歳《さい》でした。

三男のギルバートさんは二十八歳。大学で法《ほう》律《りつ》を勉強して、先月卒業したばかりです。いくつか会社の面接《めんせつ》を受けながら、就職先《しゅうしょくさき》を探《さが》しているところです。ジェノサイドが起こった時は十四歳でした。

次男のロジャーさんは、三十二歳。当時十八歳でした。ちょうど今のパトリスさんと同じ年齢《ねんれい》です。彼《かれ》とギルバートさんは、事件が起こった時のことをすべてはっきりと覚《おぼ》えていると言います。

でも、ロジャーさんはあまりその時のことをくわしく話しません。けっして引っこみ思案というわけでもありませんが、話し方に少したどたどしいところがあります。アルフォンシンさんに聞いて初めて、それがジェノサイドの時のショックによるものなのだとわかりました。

アルフォンシンさんの家族にとって、外国のジャーナリストが家にやってくるのは初めてのことだといいます。

「ルワンダは初めてですか？　あなたの今回の取材の目的は何ですか？」

三男のギルバートさんが気さくにたずねてきました。

「いいえ、前にも戦争を取材するために来たことがあります。あなたの国では、戦争、そしてジェノサイドで数え切れないほどたくさんの人たちが殺されました。すべて破壊《はかい》されて家も畑も何もかもなくなってしまった。でもその後《あと》、あなたのお母様のように、女性たちが働いて生活を支え、必死に生きのびてきましたよね。

実は、わたしたちの国、日本でも六十年以上前に戦争で負けた後は同じ状況《じょうきょう》でした。働き盛《ざか》りの男性が少なくて、女性が働いて家計を支えていたのです。

ルワンダは今、国会議員のおよそ半数が女性ですよね。日本では女性の国会議員の割合《わりあい》が、たったの一割程度。日本に比べると、ルワンダは何にもなかったところからこの十年ちょっとの時間でかなり進歩したと思います。

なぜそうなったのか、あなたのお母様の仕事ぶりやこれまでの生活を見ていくことで日本の人たちに伝えたいと思ったのです。」

ギルバートさんは、手に入れたばかりのノート型パソコンで音楽をダウンロードしながら、うなずきました。

「うんうん、それならうちの母が最適ってことですね。」

わたしは、彼《かれ》らがとても親しみやすく、ものごとを理解《りかい》するのが早いと感じて、すぐにリラックスすることができました。

陽《ひ》が傾《かたむ》き始めた頃《ころ》、アルフォンシンさんは台所に立って料理の準備《じゅんび》を始めました。

ジェノサイドの後、アルフォンシンさんは三人の息子を一人で育ててきました。子どもたちが周りの人たちに「父親がいないから」とか、「母親が外で働いているから、食事も作ってもらえない」と見られることがないように、どんなに忙《いそが》しくても夕方には家に帰り、夕飯を作ることを欠かすことはありませんでした。国会議員として朝から晩《ばん》まで忙しい毎日をおくるようになった今でも、その気持ちは変わらないといいます。

台所は、水道が家の中にあって、コンロは勝手口の外に置かれています。コンロのそばに座って鍋《なべ》をかき混ぜているアルフォンシンさんに、

「自分ひとりになって、少し気が休まるのはどんな時ですか？」

とたずねてみました。

「そうねえ。洗濯物《せんたくもの》にアイロンをかけている時かしら。わたしは昔から自分の着る服だけは自分でアイロンをかけています。今、姪《めい》がいますけれど、絶対《ぜったい》にそれだけは人に任せません。頭がいろいろなことでいっぱいになっている時、アイロンをかけていると、心が静かになって頭の中を空っぽにできるから。」

ふと後ろを振《ふ》り向くと、息子たちがわたしの後ろの勝手口のところから、からかうようにニコニコしながらのぞいていました。

アルフォンシンさんは、照れくさそうに白い歯を見せて笑いながら、鍋のふたを開けて中をのぞきこみました。

スパイスの香《かお》りをふくんだおいしそうな匂《にお》いの湯気が立ち上りました。

それじゃあ今度は、とわたしは息子たちを指差してこちらに来てもらい、話を聞くことにしました。

ロジャー、ギルバート、パトリスの三人に庭へ出てきてもらいました。家は丘《おか》の斜《しゃ》面《めん》に建てられているので、庭の地面も斜《なな》めです。足元はたけの長い芝生《しばふ》で、庭の隅《すみ》には小さな木が植えられています。

息子たちに聞いてみたいことはたくさんありました。特に、あのジェノサイドがどんなふうに起こったのか？　殺された父親のラザゼさんやお兄さんのことについてくわしく聞いてみたかったのです。アルフォンシンさんがなぜ国会議員になって働いているのかを知るには、家族が殺されたというつらい話でもいずれくわしく話を聞かなければならないということは取材を始めた時からわかっていました。

でも、わたしは今ここでは自分の目の前にある家族の楽しい時間を大切にしたいと思いました。家族の暗い表情《ひょうじょう》を今はまだ見たくないと思ったのです。

わたしはわざと笑顔を作ってたずねました。

「じゃあ、一番の思い出を聞かせてもらえますか？　ロジャーさん。」

「そうですね、たくさんありすぎて……難《むずか》しいです……。母はわたしたちに本当にたくさんのことをしてくれましたから。ひどい戦争の中でも、母はわたしたちといっしょにいてくれました。特に、ジェノサイドの時……家族みんなが大変な思いをしましたから……。わたしたちの人生に起きた一番大きな出来事です。思い出といったら……大変だったこととか、つらかったこととか……ですね。」

（暗い表情《ひょうじょう》を見たくない）という気持ちから、わたしはなにげなく彼《かれ》らの「思い出」を聞いたつもりでした。ですから、もう少し日常《にちじょう》の楽しい「思い出」を話してくれるだろうと勝手に想像《そうぞう》していました。

でも、ロジャーさんの答えを聞いて、わたしの考えが大きな間違《まちが》いだったとはっきり気づかされました。

彼らにとっての「思い出」とは、つまり――

血走った目の民兵に出会った時の衝撃《しょうげき》。

見つからないように隠《かく》れていた時の恐怖《きょうふ》。

長い道のりを歩いて逃《に》げた時の足の裏《うら》の痛《いた》み。

何も飲むものがなくてカラカラになったあの激《はげ》しいのどのかわき。

涙《なみだ》も声も出ないほどお腹がすいて過《す》ごした一日。

父が殺されたと聞かされた時、その言葉の意味がわからず、父にはもう会えないと、すぐには思えなかったこと。

そして、(なぜ、そんなことになってしまったのか?)という疑問《ぎもん》と悲しみ。

母の励《はげ》ます声。

母に引っ張られた時の腕《うで》の痛み。

ひたすらにもくもくと働く母の姿《すがた》……。

それらすべてが、彼らにとって「一番の思い出」なのです。

わたしは、自分がかつて取材した家族のことを思い出しました。戦争によって離《はな》れ離《ばな》れになって再会《さいかい》した子どもと母親の姿です。

わたしは心の中で軽々しく「思い出は何か？」とたずねた自分自身を責めていました。

（あの時、わたしは自分のこの眼《め》で見たはずじゃないのか？　彼《かれ》らの思い出とはどんなものか、わかっていたはずじゃないのか？）と。

ギルバートさんが続けて答え始めました。

「ジェノサイドを経験《けいけん》したあとも、母はいつもそばにいてくれました。よく思い出します。励《はげ》ましてくれたんですよ。わたしたちは、母をそばで見ていて、彼女《かのじょ》にとってできることはどんなことで、できないことは何かということをわかっていました。母ができなくて困《こま》ってしまうようなことは言いませんでした。でも、わたしたちがたのんだ時には、母はわたしたちの望みを必ずかなえてくれました。」

家族の中で一番活発で運動神経も良かったギルバートさんは、彼らの村でジェノサイドが起こった日のことを細かく覚《おぼ》えています。

「朝、食事をしている時でした。一発の銃声《じゅうせい》が聞こえました。父はその時『ついに始まってしまったか』と言いました。

まず、母は末っ子のパトリスをおぶって逃《に》げる準備《じゅんび》をしました。兄はしばらく裏庭《うらにわ》に隠《かく》れて様子を見てから母を追うようにと父から言われました。

わたしは何が起こったのかたしかめようと、家の前の通りに飛び出しました。少し坂を下って行ってみると遠くで人が撃《う》たれているのが見えました。わたしは、危険《きけん》を感じて家に走って戻《もど》りました。近所に住んでいたフツ族の人たちの目がまるで別人のようになっていました。わたしから視線《しせん》をそらすんです。

家に戻った時、民兵たちの乗ったピックアップトラックはうちの前に止まって、ちょうど男たちが降《お》りているところでした。彼らはわたしがこの家の子どもだとはわからなかったようで、わたしにこう聞いてきたんです。〈あのゴキブリたちはどこにいるの？　殺してしまいたいからさ〉と。わたしが答える間もなく彼らは家の中へ踏《ふ》みこんで行きました。もう父も母も兄も弟も、みんな逃げた後でだれもいませんでしたけれど。」

「それで？　一体どうしたんです？」

「家の中にだれもいないとわかったから家のわきの路地《ろじ》を抜《ぬ》けて、裏《うら》のバナナ畑に隠《かく》れました。彼《かれ》らが何人だったか、正確《せいかく》にはわかりませんが、六、七人だったと思います。

彼らは、わたしたちの家からいろいろなものを盗《ぬす》み、最後に家に火をつけました。火が消えてしばらくしてから、周りに民兵たちがいないかどうか確《たし》かめながら、家を見に行きました。レンガ造《づく》りの家は瓦礫《がれき》の山になっていました。テーブルやイス、ソファ、服、玄関《げんかん》のドアまで、すべて持っていかれていました。ちょうど玄関だった場所で、泥《どろ》にまみれたおんぼろのサンダルを見つけました。わかりますか？　彼らがわたしたちの靴《くつ》と履《は》きかえていったんですよ。」

ギルバートさんはその後《あと》、母たちをかくまってくれている家の方向を目指して、一人で歩いていきました。

その途中《とちゅう》、ルワンダ愛国戦線（ＲＰＦ）の兵士に拾われました。子どもには、兵士が自分を助けてくれるのか、殺すのか、わかりません。(絶対《ぜったい》に母の居所《いどころ》を言ってはいけない!)と思ったといいます。

ギルバートさんは、家族はみんな殺されて一人で逃《に》げてきたと説明しました。たくさんのテントの周りに金網《かなあみ》が張《は》りめぐらされた場所に連れていかれました。難民《なんみん》キャンプです。

そこで、ギルバートさんは、親のいない子どもたちのいるテントの前で降《お》ろされました。

そこでは、欧米《おうべい》のNGO《エヌジーオー》が親のいない子どもたちの登録を行なっていました。名前と出身地を聞かれ、首から下げる名札と手首にプラスチックのリストバンドをつけられました。

「何も考えられませんでした。父や兄弟のことを考える余裕《よゆう》はありませんでした。父はそれぞれ別々に逃げた方が安全だからと、家族をバラバラに逃がしたのです。だから、わたしは母が必ず迎《むか》えに来てくれると信じていました。」

わたしはかつて取材した孤児《こじ》たちの施設《しせつ》を思い出しました。

(彼《かれ》もあの子どもたちの中の一人だったのか……)

そう思うと、あの時の出来事がまるで昨日のことのように思えました。

アルフォンシンさんは、四歳《さい》のパトリスさんをおぶって、いくつもの難民《なんみん》キャンプに足を運びました。家族を探《さが》す人たちがごった返す中で、孤児の名前の書かれた貼《は》り紙を見たり、NGOの施設を訪《たず》ねたり……。そして、ついにギルバートさんを見つけました。別れ別れに逃《に》げてから一か月が過《す》ぎようとしていた時だったといいます。

「キャンプには、もう数え切れないほどの人たちが住んでいたんでしょう？　毎日の食事をもらうにも大変なキャンプの中で、よくおたがいに見つけることができましたね。」

「奇跡《きせき》ですよ。でも、不思議と涙《なみだ》は出ませんでした。信じていましたから。母が必ず迎《むか》えに来てくれるってね。そうじゃない子たちだってたくさんいたんです。今でもたまに、彼らはどうしているのかなぁと思ったりします。」

兄のロジャーさんがゆっくりとしゃべり始めました。

「思い起こせば……母は弟と最初に逃げたのです。わたしたちはバラバラに逃げましたが、母が行った方向に向かってひたすら歩いていったのです。……母がそこにいる、とわかっていたからです。

父が死んだのを知人から聞いた時……きっと母はわたしたちに何を言ったらいいのか、どう声をかけていいのか……わからなかったと思います。でも……だまっていることはありませんでした。わたしたちに『がんばって！』『起こったことはどうしようもないけれど、大人の男になってがんばって！』と、そう……『がんばって！』と言ってくれたんです。」

# 5　夜の慰霊祭《いれいさい》で

ジェノサイドで生き残った人たちのほとんどは以前の写真を持っていません。アルフォンシンさんの場合も同じでしたが、たった一枚《まい》だけ、ジェノサイドの後に避難先《ひなんさき》から初めて故郷《こきょう》の家に戻《もど》った時の写真が残っていました。

彼女《かのじょ》の黒い瞳《ひとみ》の奥《おく》にがれきの前に無表情《むひょうじょう》で真っすぐに立つアルフォンシンさん。(わたしは生きてやる！) という灯《あかり》が見えるような気がしました。

彼女の右手を握《にぎ》って、横を向いているのは末っ子のパトリスさんです。

わたしはその写真をなぜかとてもいとおしく感じて何回も何回もじっと見つめていました。

パトリスさんが小学生の頃《ころ》、アルフォンシンさんは中学校の校長先生になり、とても忙《いそが》しい毎日を送るようになっていました。

授業参観日に必ず行くと言っていた母親が来なかったことがさびしかった、という話を、パトリスさんは笑顔で話してくれました。ギルバートさんが、「おれと兄貴《あにき》が行ってやったろ」と横から口をはさむと、パトリスさんはすかさず「いいや、行くって言って来なかったんだ」と言い返しました。「え？　そうだっけ？」と首をかしげるギルバートさんをロジャーさんはひじで軽くこづきました。

アルフォンシンさんは料理をしながら、息子たちとの話に笑顔で聞き耳を立てていました。どうやら、彼《かれ》らが何を話しているのか、とても気になっていたようです。

アルフォンシンさんは、国会では男性議員からも認《みと》められる実力の持ち主です。数字がややこしいデータや予算の書類作りは、だれもが嫌《いや》がります。でも、アルフォンシンさんは、校長先生だった時の経験《けいけん》を活《い》かして、仕事が正確《せいかく》で速いと評判です。なにせ、先生ですから、コミュニケーションのとり方やスタッフの使い方もよく研究して実践《じっせん》しています。

そんなアルフォンシンさんなのですが、家族の前ではとてもシャイな一面を見せてくれます。

そうしているうちに、夕食が出来上がりました。牛肉のかたまりが入ったスパイスたっぷりでほんのり黒いシチューと、白いご飯。鍋《なべ》ごと食卓に並《なら》べられ、それぞれ自分で取り分けて食べます。白いご飯にほぐした肉とシチューをかけて食べるのがルワンダ風です。

夕飯を食べる時は、なるべく家族いっしょに食べるようにしています。そして、みんなで目を閉《と》じて感謝《かんしゃ》のお祈《いの》りを捧《ささ》げます。

一瞬《いっしゅん》の沈黙《ちんもく》――ラジオの音も止まり、だれのしゃべり声もしない、毎日続けられてきた静かな瞬間《しゅんかん》です。

（これがこの家族の〝絆《きずな》〟なんだ）とわたしは感じました。

お祈りが終わって、みんながご飯を皿によそいます。アルフォンシンさんたちは、わたしとカメラマンと通訳《つうやく》にも、どうぞ食べてくださいと言ってくれましたが、わたしたちはいつものように「撮影《さつえい》中ですから」と言って断《ことわ》りました。実際《じっさい》には、もうたまらなくお腹がすいていたのですが。

四月七日はここキガリで最初にジェノサイドが起こった日です。今夜は、市の中心にあるスタジアムに市民が集まって慰霊祭《いれいさい》が開かれることになっていました。わたしたちは、夕食後、アルフォンシンさんとパトリスさんと姪《めい》の三人といっしょに夜の慰霊祭に出かけることにしました。

夜九時すぎ、スタジアムの周りは、車と人で混《こ》み合っていました。スタジアムの入り口でロウソクをもらって中に入りました。陸上競技用のスタジアムには、二万人以

慰霊祭に集まった人々

上の人たちが、観客席を埋《う》めていました。みんな手にはわたしたちと同じロウソクを持っています。
アルフォンシンさんとわたしたちは、観客席のプラスチックシートに腰《こし》を下ろして、隣《となり》の人たちからろうそくに火をつけてもらいました。
ろうそくの火は、フィールドトラックに作られた大きな焚《た》き火からとったものです。焚き火からとった火の種をろうそくからろうそくへ隣の人に分けていくのです。
白くすその長い服を着た聖歌隊《せいかたい》の人たちの合唱に続き、ジェノサイドで生き残った人たちが出てきて、自らのつらい体験をマイクの前で話します。その体験は、アベガで出会ったロザリーさんやマリアンさんと同じです。家族が目の前で殺されて遺体《いたい》を川に捨《す》てられたり、何人もの男性から激しい暴力《ぼうりょく》や暴行を受けたり、家を焼かれたり……。でも、今生きていることに感謝《かんしゃ》しているというような内容でした。

わたしの隣で通訳《つうやく》をしてくれていたマリールイズさんの言葉が途切《とぎ》れ途切れになったと思ったら、急に声が聞こえなくなりました。マリールイズさんは女性たちの証言《しょうげん》を聞きながら、目にいっぱい涙《なみだ》をためていました。そして、うずくまるように膝《ひざ》に両ひじをついて頭を抱《かか》え、下を向くと、そのまま一言も話せなくなってしまいました。ジェノサイドの時には、彼女《かのじょ》も同じように家族を抱えて必死に逃《に》げた経験《けいけん》があります。朝起きると、（今日は殺される）ということばかり考えていたといいます。

わたしは、マリールイズさんの肩《かた》を抱《だ》いて、時おり背中《せなか》をさすってあげました。なんと言葉をかけて良いのかもわからず、ただそうすることしかできなかったのです。

昼間は暑かったのに、今夜はフリースがないと寒いくらいです。アルフォンシンさんは、腕組《うでぐ》みをしたまま、まばたきもせずに彼女《かのじょ》たちの話に耳をかたむけていました。

「ああ、神さま、なんてひどいことを」と何度もつぶやきながら。

十八歳《さい》のパトリスさんは初めてこの慰霊祭《いれいさい》にやってきました。ジェノサイドで生き残った人たちの話をこうして目の前で聞くのは生まれて初めての体験でした。

「今、村ごとにジェノサイドの裁判《さいばん》が行なわれているけれど、襲《おそ》った犯人《はんにん》たちが被《ひ》害《がい》を受けた人たちに本気でゆるしてくださいと言っているのか、それに、言われた方は彼《かれ》らをかんたんにゆるせるものなのか、理解《りかい》できない。」

アルフォンシンさんはパトリスさんに説明します。

「襲った犯人たちは、ドラマのセリフのようにゆるしてほしいとくり返し言うけれど、本当に心から言っているかどうかはわからないわ。

自分の心を楽にするためだけに『ゆるしてください』と口だけで言っている人だって、きっといるでしょうね。でもね、わたしは最後は神さまが決めることだと思うわ。」

「与《あた》えられる罰《ばつ》が軽くなることを期待してあやまっているとも思うけどな。」

「そうね。でも、神さまはたとえ悪い人でも、敵《てき》であっても、ゆるしてくださいと言われたらゆるしなさい、と言っているのよ。難《むずか》しいことかも知れないけれど、わたしたちもそう考えて生きていかなければならないの。」

「でも、もしそうなら、襲った犯人たちは、殺したり、暴力《ぼうりょく》をふるったり、こんなひどい被害を受けた人たちに、きちんと彼らの前に立ってあやまる必要があるでしょう?」

「そうね、その通りだと思う。あたりまえのことね。それじゃ、例えば、あやまらなくてはならない相手がもう生きていなかったら、パトリスはどうするべきだと思うの?」

「自分のしたことには責任《せきにん》を取らなくちゃいけないんだ。言い訳《わけ》などしないで、きちんと責任をとる。」

「わたしたちを襲った犯人たちは、たとえ直接《ちょくせつ》被害を受けた本人がいなくても、今

語り合うアルフォンシンさんとパトリスさん

生きているその人の子どもや親戚《しんせき》にあやまって、ゆるしてもらわなければいけないわ。直接《ちょくせつ》会ってあやまって、どうぞゆるしてくださいと相手に言わなければならないのよ。法律《ほうりつ》でもそういう決まりになっているの。

まずは直接あやまること。被害《ひがい》を受けた人たちが犯人《はんにん》の謝罪《しゃざい》の言葉を受け入れて、ゆるすかどうかは被害者それぞれの考えや気持ちしだいだから、ゆるす人もいるし、けっしてゆるさない人もいるわね。」

「でも、今は殺人を犯《おか》した者でも自分の罪《つみ》を認《みと》めてあやまれば、刑罰《けいばつ》が軽くなるよね。例えば、刑務所《けいむしょ》に三十年間いなくてはならないのに、五年に刑が減《へ》らされるとか。そんなの理解《りかい》できないし、ぼくは絶対《ぜったい》に受け入れられない。」

疑問《ぎもん》をぶつけてくるパトリスさんに、アルフォンシンさんはしばらくだまっていました。

「パトリス、この国で起きたことは、そんなに単純《たんじゅん》じゃないし、この国の未来を作っていくのもかんたんなことではないのよ。」

「お母さん、たとえば、一度罪を犯した人が被害者にあやまってゆるしを願い、刑罰が軽くなった。でも、また別の人を殺した場合は今の法律ではどうなるの？」

「無期懲役《むきちょうえき》ね。」

「死刑にはならないんだね。」

「わたしたちの国では死刑や復讐《ふくしゅう》をすることはできない。そういう法律なのよ。二度と刑務所から出てくることができない無期懲役ね。」

「二度と出てこられない無期懲役か……」

時間は、十一時を過《す》ぎたところでした。映画を上映するためにスタジアムが一瞬《いっしゅん》暗くなると、観客席のロウソクの灯《あかり》だけが点々とまるでホタルの光のように静かにともっていました。まるで一つひとつの光が小さな生命体のようです。

映画が始まると、わたしたちはアルフォンシンさんと別れてホテルに戻《もど》りました。通訳《つうやく》のマリールイズさんは、とても疲《つか》れたようすでした。

「わたしも初めて参加したので、昔のことを思い出して何もできなくなってしまいました。仕事ができなくなってしまって、どうもすみませんでした。」

と、何度もあやまられました。

わたしは、ルワンダの人たちはだれもが心に深い傷《きず》を負っていることを、あらためて強く実感しました。

どこまでも深く暗い傷――わたしは、自分自身もまた、その暗い闇《やみ》の中に引きずりこまれていく感じがしました。

# 6　家族の故郷《こきょう》へ

首都キガリから車でおよそ三時間ほど行ったところに、アルフォンシンさんの故郷ビマナ村があります。

お墓《はか》参りをかねて、三男ギルバートさんと四男パトリスさんとともに、かつてアルフォンシンさん一家が暮《く》らしていた家を訪《たず》ねました。ジェノサイドの時まで住んでいた家です。

ジェノサイドの直後、夫を失ったアルフォンシンさんは子どもたちと生き別れになり、絶望《ぜつぼう》の中で国内を転々とします。子どもたちと再会《さいかい》して故郷に戻《もど》ったのは、ジェノサイドから五か月後でした。

「これが私たちの本当の家です。今は、ある家族と近所の学校に通う男子学生たちの寮《りょう》として貸《か》しています。」

学校は今、夏休みです。二段ベッドが置かれた部屋の中はしんとして何もありません。

わたしたちは部屋を出て、アルフォンシンさんのあとについて裏庭《うらにわ》にまわりました。

となりの家族が、「こんにちは」と声をかけてきます。

裏庭のすぐとなりはモンキーバナナの畑になっています。家と畑の間にある草花のしげった裏庭には、縦《たて》三メートル横二メートルほどの、セメントで作られた長方形の平たい台のようなものがありました。台の端《はし》っこには三本の十字架《じゅうじか》が立てられています。

アルフォンシンさんの夫と長男、それに実の弟の三人のお墓《はか》です。

セメントの台の真ん中はまるくくぼんでいてひびわれ、鉄で作られた三本の十字架は、雨と風にさらされて赤くさびついています。

「ここがわたしの夫と家族が居《い》るところです。」

アルフォンシンさんがこちらを振《ふ》り向いて言いました。

「ジェノサイドでわたしたちの暮《く》らしはすべてが壊《こわ》れてしまいました。でも、今もこうして生活は続いています。」

わたしは、家族の当時の話をこの場所で聞くことに決めていました。ジェノサイドが起こった時のこと、その後《あと》どのように生き残ったのか、ということをくわしく聞こうと思っていたのです。アルフォンシンさんにとっては、できれば思い出したくない、悲しくて悔《くや》しくて忌《い》まわしい思い出だとわかっていました。

でも、彼女《かのじょ》と息子たちは生き残りました。ある日とつぜん、村人が同じ村の人を殺し始めた瞬間《しゅんかん》を切り抜《ぬ》けたのです。目の前で起きていることがいったい本当のことなのか、夢を見ているのかわからなくなるほどの嵐《あらし》のような中を、彼《かれ》らはなぜ、生き抜いてこられたのか？

明日、命をうばわれるかもしれないという毎日を、どう生き抜いてきたのか？

わたしはその部分を知って初めて、アルフォンシンさんと息子たちが今こうして生かされている理由がわかるのではないか、と思っていました。

単に昔の話を聞くのとはまったく違《ちが》います。母親と子どもたちの心に、どこまでも深く暗く刻《きざ》まれた傷《きず》に触《ふ》れようとしているのです。

わたしは彼《かれ》らに話を聞くことを心に決めてはいたものの、（必ずつらい思いをさせてしまう）と思ってためらっていました。

また、彼らのつらさを考えれば考えるほど、わたし自身が取材をしたときの感情が再《ふたた》びよみがえってきました。

「殺せ！」と叫《さけ》ぶ子ども兵士、前を歩く兵士の持つピストルの先に見えるゴミ捨《す》て場、広大な難民《なんみん》キャンプ、孤児《こじ》の施設《しせつ》で赤ちゃんを抱《だ》きかかえる女性、母親を探《さが》して車に乗りこむ小さな子どもたちの不安そうな表情《ひょうじょう》……すべてが今、目の前で現実に起こっていることのように思えてきました。

わたしは、不安と、恐怖《きょうふ》、さびしさや悲しみの入り混《ま》じった感情でいっぱいになってしまいました。心臓《しんぞう》がバクバクして息苦しくてたえられません。体の震《ふる》えも止まりません。(苦しい……この場を逃《に》げ出してしまいたい!) わたしは自分の感情を抑《おさ》えきれなくなっていました。

「悲しくて、きっと思い出したくないことをいろいろ聞くと思います。答えたくなければそう言ってください。」

通訳《つうやく》のマリールイズさんの声も風にかき消されてしまいそうなくらいに静かなものでした。

「大丈夫《だいじょうぶ》よ。さあ、始めましょう。」

「ジェノサイドがこの村で始まった時、アルフォンシンさんたちは何をしていたのですか?」

「首都のキガリで人が殺され始めた時、まだこの村では殺人は始まっていませんでした。でも、民兵たちは少しずつ村に入りこんできました。手のつけられないワルばかりで、働きもせず、麻薬《まやく》をやったり、お酒で酔《よ》っ払《ぱら》ったりして住民たちを怖《こわ》がらせていました。

学校や教会に入りこんできては暴《あば》れたり、脅《おど》したりしていたんです。校長先生や牧師も逆《さか》らうことはできませんでした。逆らえば、殺されるからです。民兵たちが軍隊から他の人たちを殺すように訓練を受けていたのは知られていました。

それでも、わたしの夫を始め、住民たちはこの村では彼《かれ》らの好き勝手に人殺しなどさせない、と反抗《はんこう》して自警団《じけいだん》のグループを作っていたんです。父親と男の子たちは、夜は見張《みは》り役をしていました。

最後の最後まで力を合わせて、この地域《ちいき》を絶対《ぜったい》に暴力《ぼうりょく》から守ろうとしていたのです。」

「住民は協力し合っていたのですね。それなのに、どうしてこの地域でもジェノサイドが始まったのでしょう？」

「戦っていたツチ族とフツ族のリーダーたちが話し合ったあと、当時の大統領《だいとうりょう》――フツ族です――がこの話し合いは『アポカリプス』をもたらすものだと言ったのです。

『アポカリプス』とは、キリスト教では世界の破滅《はめつ》を意味しています。また、ユダヤ人の大量虐殺《ぎゃくさつ》『ホロコースト』※をさす言葉でもありました。

その言葉を、みんながラジオで聞いていたのです。それがジェノサイドの始まりの合図でした。ラジオを通して、すべての問題の原因《げんいん》はツチ族がいるからだというふうに宣伝《せんでん》されていたのです。ツチ族がいなくならないと、この国は良くならないとさかんに言っていたんです。

そして、みんなが一瞬《いっしゅん》にして変わった。

あんなに協力し合っていたのに……。

人々が変わった。

仲良くしていたお隣《となり》さんも変わった。

民兵たちは、悪いのはすべてツチ族のせいだと考える過激《かげき》なフツ族の人たちに武器を持たせ、訓練までしていました。今度は自分たちがこの国のリーダーになると語っていたようです。

※第二次世界大戦中のドイツおよびその占領地域で、約六百万人のユダヤ人が殺害されたと言われている。

だから、彼《かれ》らの目的は、〈ツチ族の人間を一人残らず殺さなくてはならない〉ということだったのです。」

「男性だけでなく、母親も子どもも赤ちゃんも殺して、子孫さえ残させないという考えだったと……？」

「ええ、その通りです。隠《かく》れ場所から連れ出されて、まとめて撃《う》たれ、他の人たちはナタで切り殺され、女性は暴行《ぼうこう》されて、もうこの世のこととは思えないようなあらゆるひどい出来事が行なわれたんです。

昼間の出来事でした。

始まったのは九時頃《ごろ》でした。みんなが通りに出ている時間です。だれもが起こっていることをすべて見ていたんです。ここの人たちみんなが見ている前で堂々と。まるで狩《か》りをするように探《さが》して、見つけ出して、片っぱしから殺していったんです。

みんなが見ている前で、お日様の下で行われたことです。

夫は九時すぎに殺されました。仲間と隠れていた学校から連れてこられて、この家を通って、この裏庭《うらにわ》で殺されました。お隣《となり》さん、みんなが見ていました。そう、わたしの夫はこの近所のみんなが見ている前で殺されたんです。

その後、わたしたちの家は壊《こわ》されました。その時には、わたしたち家族はバラバラに逃《に》げていました。わたしは最初、パトリスを連れて友人のところに隠れていました。他の息子たちは、教会の牧師たちのところへ逃げて行きました。

わたしと夫は、少し前から自分たちが危険《きけん》にさらされていることを感じていましたから、子どもたちには『何かが起こったらそこに隠れるように』と教えておいたんです。

でも、わたしも子どもたちも同じ場所に長く隠れてはいられませんでした。民兵たちがわたしたちの居場所《いばしょ》をかぎつけないうちになるべく早く遠くへ逃げなくてはなりませんでした。夜のうちにこの村から離《はな》れました。」

「犯人《はんにん》はつかまったのですか？」

「夫を殺した人たちはわかりました。この近所の人たちでした。もともとふだんはいっしょに暮《く》らしていた人たちで、よく知っています。

仲も良かった人たちでした…。

わたしたちは裁判《さいばん》にも訴《うった》えました。彼《かれ》らはやったことを認《みと》めました。今でも裁判が続いています。」

「ジェノサイドでは、仲良く暮らしていた人たちに家族を殺されることがたくさんありました。もし、わたしがあなたの立場だったら、とても複雑《ふくざつ》な気持ちになったと思います。あの仲良く暮らしていた時間はいったいなんだったのか？　食べ物や水を分け合ったのはなぜだったたか？　いっしょに子どもたちが遊んだことは嘘《うそ》だったのか？　と。」

「それは……とても難《むずか》しい問題です。

今、この国の政治《せいじ》の中では刑罰《けいばつ》を軽くする方針《ほうしん》をとっています。ルワンダ人同士を和解させるための政策《せいさく》です。

政府《せいふ》は、ルワンダ人全員に、ここで起きたことはこれからのルワンダの国作りのために、乗り越《こ》えなければいけない問題なのだと指導《しどう》しています。そのためには、罪《つみ》を犯《おか》した者をゆるしなさいということです。

また、政府は復讐《ふくしゅう》をすることを認めませんでした。

自分の身内を殺した人がわかったとしても、いかなる仕返しも禁《きん》じられています。そんなことをすれば、もっと状況《じょうきょう》が悪くなるからです。

わたしは、わたしの家族を殺した人たちに、もうこれ以上、気持ちをかき回されたくはありません。」

アルフォンシンさんから少し離《はな》れて、ギルバートさんとパトリスさんはお墓《はか》のコンクリートに腰《こし》かけて話を聞いていました。

「わたしたちは、新しいルワンダを作ろうとしているこの政治の中で、ツチ族もフツ族の人もジェノサイドに加わった人も被害《ひがい》を受けた人も、ルワンダ人みんなが、ともに生きていかなければなりません。それは、子どもたちの未来のためでもあります。

彼らが自分たちの罪を認めて、わたしたちだけではなく、ルワンダ人全員にゆるしを願えば……ゆるします。ゆるさなければならない。

でも、それはとても難《むずか》しいことです。ゆるしを与《あた》えることは……難しい、難しい。」

アルフォンシンさんは、まぶたを閉《と》じてうつむきかげんに、ゆっくり左右に首を振《ふ》りました。

「わたしは、戦争が終わってからここに戻《もど》ってきました。そして、六年間働きました。わたしの家を襲《おそ》い、家族を殺した連中がすぐ近くに住んでいるにもかかわらずね。想像《そうぞう》できますか？

ここには何ひとつなかった。形のあるものはすべて壊《こわ》されました。土台の石まで掘《ほ》り出され、持って行かれていました。わたしたちの家から持っていかれたものが近所の家の庭先においてあったり、うちのレンガを自分たちの家の塀《へい》に使っていたり、うちの家の土台の石がご近所の家の土台に使われていたりするんです。

犯人《はんにん》がはっきりとわかるのに六年間かかりました。そしてようやく訴《うった》えました。

彼《かれ》らは逮捕《たいほ》されて刑務所《けいむしょ》に入れられました。そして裁判《さいばん》の時に、わたしたちにゆるしを願ったのです。

彼らは、六年間もすぐ近くに住んでいたのにだれも一度もあやまりに来なかった。わたしたちのことをわかっていたのに来なかった。なのに、裁判になってからゆるしてくださいと言われても、〈本当にわたしたちにゆるしを願っているのだろうか〉と疑《うたが》いを持たずにはいられませんでした。

今でもわたしは、彼らが本当にゆるしを願っているとは思えません。だから、わたしは、彼らのだれ一人もゆるしてはいません。」

彼女《かのじょ》のゆるしていないという言葉を聞いて、わたしは（家族を殺された悲しみや憎《にく》しみは、時間が経《た》ったからといって、消えるものではない）と思いました。

「今、ゆるしてくださいと言われても、わたしには理解できないのです。ここに立って、夫がどんな想《おも》いで殺されたかを思うと、わたしには彼らをゆるすということがとても難しい。

わたしと夫は同じ高校で教えていました。その校舎《こうしゃ》に隠《かく》れていたのに。見つけられて引きずりだされて、ずっと向こうから連れてこられてここで殺されました。

わたしたちが戻《もど》ってきて、遺体《いたい》を探《さが》した時……」

彼女《かのじょ》はバナナ畑の方を指差しました。

「あそこのゴミ捨《す》て場の穴に遺体がありました。ゴミといっしょに捨てられていたんです。

わたしと息子はそこから遺体を掘《ほ》り出して、ここに埋《う》めました。……埋めたんです。」

長男は、隣《となり》の村に住むアルフォンシンさんの兄の家に逃《に》げましたが、彼《かれ》らも捕《つか》まって殺されたと、その村の人たちから聞かされました。犯人《はんにん》は見つかっていません。

「ゆるすことを願われる……殺した人間が、あなたのように今このお墓《はか》の前でわたしの前に立っているとしたら……ゆるせるか？　いいえ、わたしにはとても難《むずか》しいことです。」

「あなたは国会議員です。国の政策《せいさく》と自分の気持ちがぶつかり合って迷《まよ》う時があるのではないですか？」

「ゆるしあうことはわたしたちも認《みと》めます。……ん、いいえ、難しい。でも、わたしたちはいっしょに暮《く》らしていかなければならないのです。ともに生きていくには一人ひとりが自分自身の何かを犠牲《ぎせい》にしてゆずるということが必要なんです。どちらかが考えを変えると言うか……。そして、耐《た》える。そう、一人ひとりが耐えなければならない。なぜなら、もう一度この国を立て直さなければならないからです。」

彼女は噴《ふ》き出してしまいそうな自分の気持ちを何とか押《お》さえつけているようでした。

「逃げている間、どんなことを考えていましたか？」

「そんな時、何をどうしたらいいの？　受け止めるしかありません。夫が死んだ時は、わたしたちも逃げ惑《まど》って隠《かく》れていました。泣いている時間もありませんでしたよ……。

怖《こわ》いと涙《なみだ》は出ないものです。

わたしは、ただ『木』のようになっていました。だれかが死んだと聞いても、〈明日はわたしの番だろうと、わたしも明日の朝は起きることはないだろう〉と思い、何もすることはありませんでした。

現実に思い出したり、考えたりできるのは時間がたってからのことです。自分に何が起こったのか、考えたり感じたりする能力が戻《もど》ってから、つまり正気に戻って安心してからのことです。戦争が終わったと自分に言い聞かせて、それからイスに腰《こし》をおろして、自分を現実に戻すことができるんです。

でも、当時のわたしは、生きていてもまるで立ったまま死んでいました。『死』には慣《な》れてしまっていたんです。

夫が亡《な》くなったと聞いて、また子ども、あるいは兄弟姉妹が亡くなったのを受け止めて、自分も明日生きていられるのか、何もわかりませんでした。わたしたちはみんなこの世からいなくなると思っていたんです。

そうです、死んでしまった人たちのために泣く時間を持つこともゆるされなかった。

そんな日々でした。

ジェノサイドの嵐《あらし》が止んだ後《あと》も、わたしたちにまともな暮《く》らしはありませんでした。朝起きて、〈ああ、今日もわたしは生きている〉と思うだけ。

考えられますか？

子どもをおぶって何も持たずに、寝巻《ねま》きのままで出て行って、お金もなく、着る洋服もありません。石鹸《せっけん》もない、子どもに食べさせるものもない、この家から出た時の服装のまま三か月間、いろいろな地域《ちいき》を逃《に》げまどっていたんです。

こんな状況《じょうきょう》を、どう説明すれば良いと思いますか？

避難民《ひなんみん》のキャンプでさえ、食べ物が手に入らないことがありました。そういう時はもう、座っているしかなかった。

ひどい心配事があると、お腹はすかないものだと、その時わかったんです。わたしは今も、人は飲まず食わずで生きられるのねえ、と思い出したりします。そして、わたしたちを生かしてくれているのは、神さまだけ——本当にそうとしか思えないのです。」

「アルフォンシンさん、自分がどんな時に涙《なみだ》を流したか、覚《おぼ》えていますか？」

「泣いたのはいつだったかしら。あまり覚えていませんが、ここに帰ってきて仕事も少しずつ始めて、いくらか生活が落ち着き始めた頃《ころ》じゃないかしら。

人は落ち着いてくると泣くことができるのですね。ジェノサイドが終わってから、ふつうの生活に戻《もど》ったんだと言い聞かせる時。仕事に戻って、月の終わりにお給料がもらえるようになった時。そのお金で石鹸《せっけん》を買おう、子どもたちの服を買おう、マットレスを買おうなんて考える時です。

ベッドに横になって、いつの間にかツーッと涙が出てきて眠れない日が続きました。夜、泣きくずれて朝までずっと……。よくありました。

でもね、泣くことによって心が癒《いや》されることもあると知りました。」

「そうですね。」

「それから、他に元気づけてくれるものもあります。わたしの場合は、この子どもたちと生き残ったから。

わたしたちが訪《たず》ねたアベガのようなところでは、家族を全員失って一人ぼっちになった女性と出会います。七、八人の子どもがいたのに、全員殺されたり、夫が殺されたりね。彼女《かのじょ》たちは取り残されて、一人ぼっちで立ちすくむしかありません。

でもね、ケンジさん、生活は続くんです。

たとえ、ひどくつらい想《おも》いを抱《かか》えながらでも、ほら、時には笑うことだってあるでしょう。

他の人とも語り合い、ふつうに仕事をして、買い物をしたり、子どもとお出かけしたり、家族とお祝い事をしたり、ね。

一方で、殺された自分の家族を思い出す時間がある。母は殺された。兄弟たちは殺された。義理《ぎり》のお父さんの家族も殺された。こういう経験《けいけん》をわたしたちは思い出すことなしに、素通《すどお》りしていくことはできません。

これがわたしたちの生活ですから。

わたしたちは、もうジェノサイドを乗り越《こ》えていこうとしています。乗り越えて、ふつうの生活に戻《もど》るんです。

過去にとらわれて、何もできなくなってしまわないように、わたしたちは努力しなければならないんじゃないかなあ、と思います。自分にそう言い聞かせています。

生き残ったわたしたちの責任《せきにん》は、幸せに暮《く》らすこと。せっかく子どもたちと生き残ったんです。いつまでも泣いていないで、生きなければ。」

「アルフォンシンさんにとって、家族って何ですか？」

「家族？　元々アフリカでは家族と言うと大きな一族のことを意味します。先祖から始まって兄弟姉妹たち、いとこたち、おばさんたち、おじさんたち、それらが大きな家族の柱です。その柱に木の枝のように小さい家族の単位《たんい》が創《つく》られていきます。小さい家族は、夫婦《ふうふ》と子どもです。

ジェノサイドであまりにもたくさんの人たちが殺されたために、このような家族というものが、今のルワンダにはもうほとんどなくなってしまいました。

おじいちゃんおばあちゃんの話もできない――もういないから。おばさんやおじさんの話はできない――もういないから。

まえはわたしの家族だってみんな元気だったんですよ。父はわたしが小さい頃《ころ》に病気で亡《な》くなりました。母も、わたしが教師になってから病気で亡くなりました。けれど、兄弟はいたんです。いたけれど、殺されました。

今では子どもに、わたしたち家族にはそんなたくさんの家族がいたのよって、説明することが難《むずか》しいです。

でもね、わたしはこの息子たちを与《あた》えてもらいました。神さまからいただいた本当の贈り物……」

そう言った瞬間《しゅんかん》、アルフォンシンさんの目からドッと涙《なみだ》があふれだしました。

とめどなく涙を流しながら、アルフォンシンさんは（フウッ）とため息をついて苦笑いをしました。そして、カバンの中からティッシュを取り出してまぶたをおさえ、鼻をかみました。

「さあ、大丈夫《だいじょうぶ》よ、大丈夫だから。さあ、続けましょう。」

アルフォンシンさんがそう言うまで二分もたっていませんでしたが、わたしには十分以上も時間がたったように感じられました。わたしの周りの空気はまるで止まっているような静けさでした。

「ケンジさん、もう終わりでいいんじゃないですか?」

通訳《つうやく》のマリールイズさんの言葉に、はっとして、わたしは言いました。

「アルフォンシンさん、聞きたいことはこれですべてです。ありがとうございました。」

「絶対《ぜったい》に泣かないと決めていたのに。ごめんなさいね。」

わたしとカメラマン、通訳の三人とも大きく首を横に振《ふ》りました。

# 7 父は生きている

ギルバートさんが「ぼくもあの朝のことはすべて覚《おぼ》えている」と話し始めました。

「銃声《じゅうせい》を聞いたとたんに、父も母も何かが起こるかもしれないと察知して、すぐに逃《に》げる準備《じゅんび》をしたんです。

母は、この子をおぶっていました。まだ小さかった。とってもかわいい赤ちゃんだったんです。」

ギルバートさんは、末っ子のパトリスさんの左肩《ひだりかた》に手をやりました。パトリスさんが口を開きました。

「ぼくが覚えているのは、朝、紅茶を飲んでいたこと、それに母がぼくをおぶってくれたこと。

当時の兄のことは覚《おぼ》えているよ。家族の中で一番遊んでくれたからさ。ほら、ぼくを連れてよく自転車に乗せてくれていただろう。覚えてる？」

「もちろんさ。わたしたちは、みんなパトリスのことが大好きだった。とってもかわいいベイビーでした。みんなでかわるがわる抱《だ》っこしたよ。だれかが抱っこしておろすと、次はわたし、なんてとりあいになったりして、みんなの人気者だったんです。」

「でも、父の顔はよく覚えていない。時どき、思い描《えが》くんです。父を知る人たちに出会うと『本当にお父さんにそっくりだね』と言われるから。

父の顔は、毎日見ていたはずなのに思い描くことしかできません。でも、父が殺された時のようすは、聞いただけなのに、頭の中に残って消えません。少しずつ消えていくと思いますけれど。」

「消えていくって、どういう意味ですか？」

「わたしの心の中では、父が死んだとは思っていないんです。

お墓の前で語り合うアルフォンシンさんの家族

それは、わたしが一番強く信じていることなんです。

顔は覚えていない。覚えていないように感じるけど、ここに来ると確《たし》かに父がいる、父の存在を感じるんです。

母に学校でいい点数をとったと報告《ほうこく》すると、喜んでくれます。そして、父にも報告しに行こうと、ごく自然に自分の中で思うんです。父に、『良い点数をとった』と報告するときっと喜ぶだろう、ってね。」

通訳《つうやく》のマリールイズさんは、下を向いたまま、涙《なみだ》をポロポロこぼしています。

「当時のぼくは小さい赤《あか》ん坊《ぼう》だったけれど、

今は大人になって、だれの前でもどこででもきちんと胸《むね》を張《は》って堂々と発言ができるようになりました。

父がぼくをこの世に生んでくれたことに誇《ほこ》りを持っています。

兄たちも父の代わりです。なにせ一人じゃなくて二人もいるんですから。一人が留《る》守《す》のときは、もう一人が父の代わりになってくれます。

ここに来ると、いつも父がいると感じます。父はどこにも行ってはいません。」

パトリスさんはギルバートさんの方に目をやりました。

「ここには思い出すために来ます。悲しむためではなくて、思い出すため。

わたしはここが好きです。ここに来ると、わが家にいるような気分になります。そう、この瞬間《しゅんかん》、わが家にいるみたいなんだ。ここにいると楽しい時間を思い出す。それでいいんですよ。思い出して感じる。嫌《いや》なことがあっても大丈夫《だいじょうぶ》って心から思える。

わたしもパトリスも家族もみんな、ここが大好きです。」

「ギルバートさん、お母様は『絶対《ぜったい》に泣かないと決めていた』って言いましたけれど、彼女《かのじょ》の涙《なみだ》の意味がわかりますか?」

「母は、仕事では男まさりでがまん強い女性ですが、わたしたちの前では本当に心の優しい人なんです。

泣く時って、心の中にあるものを引っ張り出すような、たまっていた苦しみを吐《は》き出すというか、そういう感じです。胸の奥《おく》にたまっていた、つかえのようなものに苦しくなって息ができなくなった時、そのつかえを吐き出して心も体も落ち着く。それが泣くということでしょう。」

パトリスさんが言葉を続けました。

「そう、泣くのはね、亡《な》くなった人への愛情さ。家族や恋人を想《おも》って涙を流す。彼《かれ》らへの愛の表現の仕方なんです。」

頭の上にあった太陽が、バナナの木のてっぺんにずいぶん近づいて来ていました。お墓《はか》のまわりにさいた白いコスモスが風に揺《ゆ》れています。

お墓《はか》をはなれる前に、最後にみんなでお祈《いの》りを捧《ささ》げました。

「さあ、帰りましょうか。」

目を開けて、立ち去ろうとしたアルフォンシンさんに、近くで見ていた知り合いの若《わか》い女性が自分の抱《だ》いていた赤ちゃんをそっと渡《わた》しました。

アルフォンシンさんは、赤ちゃんを抱くと、これまで一度も見せたことのないおだやかな笑顔で赤ちゃんの顔にほおずりしました。

そして、三人の息子たちに向けるのと同じ、母親のまなざしで腕《うで》の中の赤ちゃんを見つめながら、お墓のある裏庭《うらにわ》をあとにしました。

# 8　相手をゆるす時

　ジェノサイドを追悼《ついとう》する一週間が終わり、アルフォンシンさんの国会議員としての忙《いそが》しい日々がまた始まりました。アルフォンシンさんは社会問題委員会に参加しています。

　彼女《かのじょ》たちは、市民の生活の中に起こる問題にどう対応《たいおう》するかを考え、具体的な法律《ほうりつ》案やルールを作って、国会の場で話し合います。

　特に今は、エイズなどで親を亡《な》くした子どもたちへの支援《しえん》にも取り組んでいます。ルワンダの今の法律のままでは、子どもが二十二歳《さい》になっていないと、生活のための支援金をもらったり、亡くなった親がかけていた年金を子どもがかわりに受けとることができません。このままでは、母親をエイズで亡くして孤児《こじ》になってしまった子どもたちは、お金がなくて暮《く》らしていけなくなってしまいます。

アルフォンシンさんたちは、子どもが親を亡くしたその日から、生活の補助《ほじょ》を受けられるようにしたいと考えています。

この日も、活発な話し合いが行なわれていました。

「子どもが二十二歳になっていなくても、親が亡くなったその日からもらえるようにするというのが正しい答えでしょう?」

「政府《せいふ》が出している支援金や年金の額《がく》も少ないわ。」

「ホント、少ないですね。これは『生かしも殺しもしない』ってほどの金額ね。受け取りの年齢《ねんれい》だけではなくて、金額についても見直していかなくてはなりませんよ。」

アルフォンシンさんたちは、次の国会でこの法律の案を提出《ていしゅつ》するつもりです。

ジェノサイドによって生じた問題はまだけっして解決《かいけつ》されていません。

国会。女性議員のすがたが目立つ

家族を亡《な》くした女性たちの中には、生活のために男性以上の重労働をしている人たちがいます。また、どうしようもない貧《まず》しさの中で暮《く》らして、教育を受けられないままの女性たちもいます。

すべての女性たちが、本当の自由と自立を手に入れるためには、まだまだやることがたくさんあると、アルフォンシンさんは言います。

「貧しさから抜《ぬ》け出すことができれば、子どもたちが勉強できます。それはすばらしいことです。

学校へ行って学ぶことは何よりも大切なんです。そういう女の子が母親になれば、自分の子どもたちもきちんと学校に通わせて、教育を受けさせるでしょう。それが、ジェノサイドの経験《けいけん》を乗り越《こ》えていくんです、この国の未来を創《つく》っていくんです。きっと。」

彼女《かのじょ》自身も貧しい家に育ちましたが、教育に熱心だった母親のおかげで、質の高い教育を受けることができました。

わたしは、学校で手に入れたものは何ですかとたずねました。

彼女《かのじょ》は、思い出すように一度上を向いてから答えました。

「友達です。家が貧《まず》しいとか、お金持ちだとか、『自分がツチ族、あなたはフツ族』なんて関係なく、勉強のことや悩《なや》みを話し合える友達を、たくさん持つことができたことです。」


わたしは、今ではすっかりきれいに整えられた空港ロビーの、プラスチック・シートに腰《こし》かけて飛行機を待っていました。

そして、今回の取材をふり返っていました。

アルフォンシンさんは、ある講演会《こうえんかい》でたくさんの学校の先生たちを前に、こんな話をしました。

「わたしたちの中に、人を嫌《きら》う心や憎《にく》む心があるのはたしかです。仕方のないことかもしれません。

しかし、そんな気持ちや考えで心と頭がいっぱいになっていたら、わたしたちは生きていくことができません。わたしたちは今この時、この場所でいっしょに生きていかなければならないのです。

子どもたちの時代にジェノサイドをくり返してはならないのです。絶対《ぜったい》に！」

ある日とつぜん、平和だった生活を壊《こわ》され、大切な家族の命を奪《うば》われたとしたら……わたしは、滑走路《かっそうろ》を眺《なが》めながら考えていました。

〈憎しみと悲しみに満たされた心だけでは、きっと生きてはいけない。何をしていても、そのことばかりを考えてしまって、何も手につかなくなってしまう。

だからといって、その相手を〈ゆるす〉ことはできないかもしれない。いや、わたしはきっとできない。

どうすることもできない心の痛《いた》みを背負《せお》っても、わたしは生きていかなければならないとしたら……そう、自分は生かされていると気がついた時に、初めて考えるだろう——この国で出会った人たちのように、相手を〈ゆるす努力〉をしてみよう、と。）

ロビーに案内のアナウンスが流れて、わたしは立ち上がりました。

建物を出るドアのところで、飛行機会社のスタッフがチケットを切りながら、たずねてきました。

「滞在《たいざい》はいかがでしたか？」

わたしは、

「ええ、とても良かったです、ありがとう。」

と笑って答え、飛行機に向かってすがすがしく滑走路《かっそうろ》を歩き始めました。

## ルワンダの歴史

| 年 | 月 | 歴史 |
|---|---|---|
| 17世紀 | | ルワンダ王国建国 |
| 1889年 | | ドイツの植民地となる |
| 1918年 | | 第1次世界大戦後、ベルギーの植民地となる。ツチ族により支配される |
| 1961年 | | 王政に関する国民投票が実施され、共和制が樹立される |
| 1962年 | | 議会がカイバンダ（フツ族）を大統領に選出<br>ベルギーから独立 |
| 1973年 | | クーデターにより、ハビャリマナ少将が大統領就任。弾圧により、多くのツチ族が難民として国外に逃れた |
| 1990年 | 10月 | ルワンダ愛国戦線（RPF）が組織され、内戦が起こる |
| 1993年 | 8月 | 和平合意 |
| 1994年 | 4月 | ハビャリマナ大統領が暗殺と思われる飛行機事故で死亡<br>ルワンダ大虐殺がはじまる |
| | 7月 | 新政権樹立<br>（ビジムング大統領、カガメ副大統領就任） |
| 2000年 | 3月 | ビジムング大統領辞任 |
| | 4月 | カガメ副大統領が大統領に就任 |

# あとがき

ルワンダに行くたびに、わたしは家族を失った女性たちをケアしている『アベガ・アガホゾ』を訪《おとず》れます。

事務所の横には、女性たちが作って持ちこんだ民芸品や食品を売る売店があります。わたしはここでお土産品を買うのが大好きです。サーカス小屋のテントのようにてっぺんがとんがったユニークな形のかご（大きさも色もたくさんあります）、色鮮《あざ》やかな布《ぬの》で作られたハンドバッグや、レースの刺繍《ししゅう》がほどこされたテーブルクロスのセット、ビーズや自然の石で作られたネックレスやピアス、人形、油絵、毛糸のマフラー、石鹸《せっけん》、バナナで作られたお酒（！）なんていうのもあります。また、いろいろなモチーフ（デザイン）の木彫《きぼ》りは、ルワンダでも有名な民芸品の一つです。

これらの商品は、すべて女性たちが家で作って自分たちでこの店に持ってきます。製品が売れたら、その代金を受け取るというシステムで、いわば直販《ちょくはん》です。質の良いものはまとめて注文が入る時もありますが、商品は女性たちが手作りをしているので、なかなか同じものをたくさん一度に買うことはできません。

直販だから、値段《ねだん》が安い。キガリ市街や空港のお土産屋さんで買う値段の半額《はんがく》以下です。この売店に人が来て物を買っていけば、貧《まず》しい家庭の収入《しゅうにゅう》の足しになります。けっして十分な額ではありませんが、女性たちにとっては現金を得られる貴重《きちょう》な場所なのです。

わたしは、売店で、持って帰りやすい小さなかごやテーブルクロスを買った後、なんとなく店内をながめていました。わたしの頭の左上に何やら視線《しせん》を感じて目をやりました。そこには、高さ四〇センチメートルほどの木彫りの女性の像が、一体だけ、他の木彫りの像にまぎれるようにたたずんでいました。頭に布をかぶり、ほんの少しだけ猫背《ねこぜ》の姿勢《しせい》で首を垂《た》れています。両手を胸《むね》のあたりで合わせて十字架《じゅうじか》を持って祈《いの》る姿《すがた》は、キリスト教の聖母《せいぼ》マリア像のようです。

手にとると、意外にずしっとした重さがありました。わたしはホコリを払《はら》いながら、その顔をじっと見つめました。

悲しそうにも見えるし、穏《おだ》やかにも見える……その表情。

一度は棚《たな》にもどして売店を出たのですが、そのいでたちが忘《わす》れられず、結局日本に持って帰ってきたのです。

木彫《きぼ》りのマリア像をだれが作ったかはわかりません。でも、ジェノサイドの地獄《じごく》を生きのびた中で、作者の女性がこの像をどんな気持ちで彫《ほ》ったのかということは、わかるような気がします。

アルフォンシンさんは、ますます精力的《せいりょくてき》に女性の教育や孤児《こじ》の問題に取り組んでいます。ロジャーさんは、運転手などをして忙《いそが》しい母親を支《ささ》えています。ギルバートさんは、大きな会計事務所に就職《しゅうしょく》が決まり、今はルワンダ第二の都市ブタレで働いています。家族と離《はな》れて暮《く》らしていますが、ひと月に一度は帰って来てみんなといっしょに過《す》ごしているといいます。末っ子のパトリスさんは大学で法律を学ぶことに決めました。正義とは何か？　人と人とがゆるし合い、和解し合うために法律は何ができるのか？　を学んでいくためです。

アルフォンシンさんと息子たちへの取材を通して、「家族」をテーマにこの本を書き始めた時、わたしは大きな壁《かべ》にぶちあたりました。それは、わたし自身が「家族」というものを自分の身勝手な行ないによって壊《こわ》してしまった経験《けいけん》があるからです。

（あの時、自分のことだけを考えないで相手の気持ちを考えていたら……）

（あの時、素直《すなお》に自分の気持ちを説明できれば……）

（あの時、あんな一言を口にしなければ……）

（そして、最後まであきらめなければ……）

そんな気持ちが沸《わ》き上がっては、わたしは、罪悪感《ざいあくかん》と後悔《こうかい》の渦《うず》まく真っ暗な海に引きずりこまれて、ただ漂流《ひょうりゅう》していました。

でも、それでもなお最後まで書き続けることができたのは、本当にたくさんのルワンダの人たちが、わたしを温かく受け入れてくれたからです。たくさんの人がわたしを家に招いてくれました。素朴《そぼく》でおいしい手料理をふるまってくれたり、一族が勢《せい》ぞろいする結婚式に招待してくれたり、生まれたばかりの赤ちゃんを抱《だ》っこさせてくれたり、名前の由来を聞かせてくれたり、わたしの中に本物の家族・家庭というものの空気をおくりこんでくれました。ルワンダの人たちがこちらの難しいお願いにも精一杯《せいいっぱい》こたえて協力してくれたことも、わたしはけっして忘《わす》れることはないでしょう。

また、これまでわたしを支《ささ》えてきてくれたたくさんの人たちのおかげでもあります。ある人は、慕《した》われて愛されながら「死んでいく」姿《すがた》をもって、わたしをおぼれかけていた真っ暗な海から引き上げてくれました。ある人は、「生きている」ことの楽しさや豊かさ、愛しさを教えてくれることによって、くじけたわたしの足を支えてくれました。そして、すぐれた番組を作って伝えていこうとする人たちの熱意と執念《しゅうねん》、磨《みが》きこまれた技術に支えられました。

この場をかりて、皆《みな》さんに心からお礼を申し上げます。

特に、ＮＨＫの佐橋晴男プロデューサー、ＮＨＫエデュケーショナルの東野真プロデューサー、駿の丸山雅也プロデューサーには、信念のこもったご指導をいただきました。

また、いろいろな感情がまざり合って、私が書けなくなった時も、せかすことなく、静かにこの原稿《げんこう》ができ上がるのを待ち続けてくださった汐文社の村角あゆみ氏には、格別の感謝を申し上げます。

最後に、いつも陽気なダンスとピアノで勇気づけてくれる一人娘と、彼女の日常《にちじょう》を支え、思いやる心を育んでいる母親に心から「ありがとう」と言いたいと思います。

二〇〇八年一〇月

後藤健二（インデペンデント・プレス）

後藤健二（ごとう・けんじ）
ジャーナリスト。1967年宮城県仙台市生まれ。番組制作会社をへて、1996年に映像通信社インデペンデント・プレスを設立。戦争や難民にかかわる問題や苦しみの中で暮らす子どもたちにカメラを向け、世界各地を取材している。NHK『週刊こどもニュース』『クローズアップ現代』『ETV特集』などの番組でその姿を伝えている。『ダイヤモンドより平和がほしい』（汐文社）で、産経児童出版文化賞を受賞。他、著書に『エイズの村に生まれて』（汐文社）「ようこそボクらの学校へ」（NHK出版）がある。

カバーデザイン：オーク

ルワンダの祈り
―内戦を生きのびた家族の物語―

2008年12月　初版第1刷発行
2015年 2月　初版第7刷発行

著　後藤　健二
発行者　政門　一芳
発行所　株式会社 汐文社
東京都千代田区富士見2-13-3
角川第二本社ビル2F　〒102-0071
電話 03（6862）5200　FAX 03（6862）5202
http://www.choubunsha.com
印刷　新星社西川印刷株式会社
製本　東京美術紙工協業組合

NDC 916　ISBN978-4-8113-8497-9